ÉNERGIE 4

méthode de français eso

livre de l'élève

Inmaculada Saracíbar Zaldívar

Dolorès-Danièle Pastor

Carmen Martín Nolla

Michèle Butzbach

Régine Fache

Reyes Núñez Castaín

Accompagné d'un Livret de grammaire

Coordination éditoriale : Elena Moreno

Direction éditoriale : Sylvie Courtier

Conception graphique et couverture : Zoográfico

Dessins : Jaume Bosch, Santiago Risco Núñez, Mariano Saura, Zoográfico

Photographies : A. Domènech ; A. Muller ; Algar ; GARCÍA-PELAYO / Juancho ; I. Rovira ; I. Codina ; J. C. Muñoz ; J. Jaime ; J. M.ª Escudero ; J. Vendrell ; KAIBIDE DE CARLOS FOTÓGRAFOS ; Krauel ; Prats i Camps / IES Carrús. Elche. Alicante ; R. M.ª Marí ; S. Enríquez ; S. Padura ; A. G. E. FOTOSTOCK / Science Photo Library, Elie Bernager, Jerry Schad, Tom Servais, SuperStock, P. Narayan, Henryk T. Kaiser, PIXTAL ; ALBUM / 20TH CENTURY FOX ; COMSTOCK ; COVER / SYGMA / Bernard Bisson, Jean-Pierre Amet, Raymond Reuter ; KEYSTONE ; COVER / CORBIS / The Barnes Foundation, Merion Station, Pennsylvania, Mooney Photography / Kelly, Sygma / Tatiana Markow, Warren Morgan, Neal Preston, Roy McMahon, John Henley, Henry Diltz, Tim Wright, Bettmann, Rainer Unkel, Paul Vozdic, COVER / LOOK / Ingrid Firmhofer, Sofía Moro, Photonica, Iconica, FOTONICA / Manfred Rutz, DIGITALVISION ; EFE / SIPA-PRESS / Noor Akhoun, A. Boulat,Dickinson, Michel Pignères, Thierry Charlier, IMAGE / SINTESI / SIPA ; FOCOLTONE ; GALICIA EDITORIAL / Miguel Villar; HIGHRES PRESS STOCK / AbleStock.com ; I. Preysler ; JOHN FOXX IMAGES ; MUSEUM ICONOGRAFÍA / The Bridgeman Art Library ; PHOTOALTO ; PHOTODISC ; STOCK PHOTOS / Zefa Visual Media GMBH, IFA ; STOCKBYTE ; European Community ; MATTON-BILD ; MUSEO ESPAÑOL DE ARTE CONTEMPORÁNEO, MADRID ; RUE DES ARCHIVES ; SERIDEC PHOTOIMAGENES CD ; ARCHIVO SANTILLANA

Recherche iconographique : Mercedes Barcenilla
Correction : Agnès Jouanjus, Hélène Lamassoure

Coordination artistique : Carlos Aguilera

Coordination technique : Jesús Á. Muela

Réalisation audio : Transmarató Espectacles, S. L.
Compositions musicales : Antonio Prió, Paco Benages, Arnau Vilardebò
Enregistrements et montage : Estudio Maratón. Barcelona
Direction : Arnau Vilardebò, Isabelle Bres

ISBN: 978-84-294-3591-7

CP: 834595

ÉNERGIE 4 eso

méthode de français

livre de l'élève

ÉNERGIE 4 CONTENUS

	SITUATIONS DE COMMUNICATION Compréhension - Expression	ACTES DE PAROLE	GRAMMAIRE EN SITUATION Structures globales - Points de grammaire
MODULE 1 **L1** : p. 6-7 **L2** : p. 8-9 **L3** : p. 10-11 **L4** : p. 12-13 **L5** : p. 14-15	L1 : « Galerie de personnages célèbres » (biographies et extraits d'une encyclopédie) L2 : « Qui est qui ? » (descriptions humoristiques) L3 : « Voyage, voyage… » (chanson) « À l'aéroport » (dialogue)	L1 : Résumer la vie d'un personnage célèbre Poser des questions sur l'identité d'un personnage célèbre L2 : Décrire des comportements, des attitudes L3 : Donner des informations approximatives	L1 : Poser des questions pour s'informer sur l'identité d'un personnage (révision) *C'est - Il / Elle est* L2 : Les adverbes de manière, de temps, de quantité, de lieu, de négation (révision) L3 : Les adjectifs qualificatifs réguliers et irréguliers (révision) Syntaxe du nom : un objet + *en / à*
MODULE 2 **L1** : p. 16-17 **L2** : p. 18-19 **L3** : p. 20-21 **L4** : p. 22-23 **L5** : p. 24-25	L1 : « À la gare » (planche de vocabulaire et mini-conversations) « Dans le train » (dialogue) « Bon voyage » (chanson) L2 : « Un mariage au Mexique » (lettre familiale) L3 : « Aux puces de Montreuil » (mini-conversations) « Lequel de ces tableaux vous plaît le plus ? » (tableaux)	L1 : Donner des ordres Intervenir poliment L2 : Raconter un événement passé (révision) Situer dans le temps différents événements Exprimer la cause L3 : S'informer sur un produit et sur ses caractéristiques dans une situation d'achat Donner ses impressions sur un tableau	L1 : L'impératif à la forme affirmative et négative avec un pronom personnel (révision) L2 : L'expression de la cause : *car, à cause de, parce que, comme, puisque* L3 : Les pronoms démonstratifs : *celui-ci, celui-là, celui de / que… ; celle-ci, celle-là, celle de / que… ; ceux-ci, ceux-là, ceux de / que… ; celles-ci, celles-là ; ceci, cela…*
TESTEZ VOS COMPÉTENCES 1	**(Livre, p. 26, 27 et Cahier, p. 30, 31) : Entraînement aux épreuves du DELF : ÉCOUTER - LIRE - ÉCRIRE - PARLER**		
MODULE 3 **L1** : p. 28-29 **L2** : p. 30-31 **L3** : p. 32-33 **L4** : p. 34-35 **L5** : p. 36-37	L1 : « Soirée interculturelle » (affiche) « Avant la fête » - « Après la fête » (dialogues) L2 : « Bienvenue à l'auberge de jeunesse » (BD, dialogue) « Auberge de jeunesse René Cassin » (règlement) L3 : « Elle est petite, elle est souffrante… » (test)	L1 : Exprimer l'obligation, le souhait Faire des appréciations L2 : Indiquer ce qui est permis ou interdit L3 : Proposer des solutions pour améliorer son environnement Donner des informations complémentaires	L1 : Le subjonctif des verbes du 1er groupe ; quelques emplois : l'obligation et le souhait L2 : Le subjonctif des verbes des 2e et 3e groupes et des verbes irréguliers ; emplois : donner un conseil, exprimer un doute, un sentiment *je crois / je pense / j'espère que* + indicatif *je ne crois pas que* + subjonctif L3 : Le pronom relatif *dont* Les propositions relatives avec *qui, que, où, dont*
MODULE 4 **L1** : p. 38-39 **L2** : p. 40-41 **L3** : p. 42-43 **L4** : p. 44-45 **L5** : p. 46-47	L1 : « Je zappe, tu zappes, on zappe ! » (programme de télévision, dialogue) « Loft History ou Loft Hystérie ? » (conversations) L2 : « Quel temps fait-il ? » (bulletin météo dans la presse et à la radio) « J'ai survécu à un cyclone ! » (fait divers) L3 : « Rencontre avec un footballeur amateur » (interview) « Face à face » (interview)	L1 : Donner son opinion, argumenter, discuter, s'opposer Indiquer la possession L2 : Faire des prévisions sur le temps Raconter une expérience passée L3 : Exprimer ses intentions et ses objectifs	L1 : Les adjectifs possessifs (révision) Les pronoms possessifs Verbes d'opinion + indicatif ou subjonctif L2 : L'imparfait et le passé composé Le passé, le présent et le futur (révision) Expressions de temps (*hier, après-demain…*) L3 : Le pronom indéfini *on*
TESTEZ VOS COMPÉTENCES 2	**(Livre, p. 48, 49 et Cahier, p. 56, 57) : Entraînement aux épreuves du DELF : ÉCOUTER - LIRE - ÉCRIRE - PARLER**		
MODULE 5 **L1** : p. 50-51 **L2** : p. 52-53 **L3** : p. 54-55 **L4** : p. 56-57 **L5** : p. 58-59	L1 : « Ma ville, ça me regarde ! » (interview faite à une lycéenne) @ L2 : « Test : Que feriez-vous dans cette situation ? » (test) « Et si on jouait au portrait chinois ? » (jeu) L3 : « Métiers passion » (témoignages sur des parcours professionnels) @	L1 : Exprimer des besoins Émettre des souhaits, faire des suggestions L2 : Faire des hypothèses Faire des métaphores L3 : Relever les faits les plus importants d'un parcours professionnel Exprimer la durée	L1 : Le conditionnel : formes et emplois L2 : *Si* + présent + futur ; *si* + imparfait + conditionnel L3 : L'expression de la durée : *il y a, depuis, il y a / ça fait… que, dans, jusqu'à…*
MODULE 6 **L1** : p. 60-61 **L2** : p. 62-63 **L3** : p. 64-65 **L4** : p. 66-67	L1 : « En votre âme et conscience » (résultat d'un sondage) L2 : « Façons de parler », « Suite et fin » (contes) L3 : « Regards dans un regard » (notices biographiques de peintres célèbres)	L1 : Parler de soi, de ses réactions émotionnelles et comportementales L2 : Identifier les différents registres de langue Raconter, comprendre un conte, rapporter une anecdote L3 : Interpréter et comparer des tableaux Reconnaître à l'écrit le passé simple	L1 : Quelques adjectifs et pronoms indéfinis : *chaque, aucun(e), quelques, certain(e)(s), un(e) autre, d'autres, plusieurs…* L2 : Le plus-que-parfait Les registres de langue (soutenu, standard, familier) L3 : Reconnaissance du passé simple à l'écrit
TESTEZ VOS COMPÉTENCES 3	**(Livre, p. 68, 69 et Cahier, p. 78, 79) : Entraînement aux épreuves du DELF : ÉCOUTER - LIRE - ÉCRIRE - PARLER**		

Évaluation :

Pour chaque module : Livre L5 « Êtes-vous capable de… ? » : bilan d'expression orale - *Cahier L5 :* « Pour faire le point » : bilan d'expression écrite et de grammaire. - *Cahier personnel :* auto-évaluation dans les quatre compétences ; fiches de Diversité individuelle pour faire un parcours autonome complémentaire.

Techniques d'apprentissage :

Livre : Module 1 : « Pour mieux comprendre à l'oral » - *Module 2 :* « Pour mieux s'auto-évaluer » - *Module 3 :* « Pour mieux chercher dans le dictionnaire » - *Module 4 :* « Pour mieux faire des interviews » - *Module 5 :* « Pour mieux communiquer à l'oral » - *Module 6 :* « Pour mieux faire un résumé »

Cahier : Module 0 : « Les sept habitudes pour développer son intelligence »

Cahier personnel : Module 1 : « Pour mieux exprimer votre point de vue » - *Module 2 :* « Pour mieux communiquer : être assertif / ve » - *Module 3 :* « Pour mieux apprendre de s erreurs » - *Module 4 :* « Pour s'aider des schémas » - *Module 5 :* « Pour mieux prendre des notes » - *Module 6 :* « Pour mieux faire des synthèses »

LEXIQUE	PHONÉTIQUE	LECTURE-ÉCRITURE	PROJETS	DIVERSITÉ COLLECTIVE
L1 : Les professions (révision), les nationalités L2 : Caractères et comportements Adverbes de manière, de temps, de quantité… L3 : Matériel de voyage	L3 : *Écrit / Oral* : Les voyelles nasales	Livre L4 : *Doc Lecture* : « L'origine des noms de famille » (information) @ Livre L4 : *Atelier d'écriture* : « Faire le portrait de quelqu'un » *À vos plumes* : « Faire un portrait à la manière de… » Cahier L4 : *Doc Lecture* : « À chacun son sommeil » Cahier L4 : *Orthographe* : « Les adjectifs de couleur »	Livre L5 : « Notre groupe : page d'accueil » (élaboration d'un blog ou d'une affiche qui présente le groupe-classe)	Livre L1 : « Galerie de personnages célèbres » (compréhension orale) Livre L2 : « Qui est qui ? » (expression orale)
L1 : La gare L2 : La famille, la vie familiale, l'état civil et les relations de parenté Formules de politesse L3 : Objets en vente dans un marché aux puces Formules d'achat	L1 : *Écrit / Oral* : Les consonnes doubles et triples	Livre L4 : *Doc Lecture* : « Tour du monde en famille » (article de revue) @ Livre L4 : *Atelier d'écriture* : « Demande de renseignements à un office de tourisme » *À vos plumes* : « Écrire une lettre en suivant un modèle » Cahier L4 : *Doc Lecture* : « Un billet de train » Cahier L4 : *Orthographe* : « *Quel(s), quelle(s)* ou *qu'elle ?* »	Livre L5 : « Voyages de rêve… » (préparer un voyage imaginaire avec des ami(e)s et le présenter comme si on l'avait réalisé)	Livre L2 : « La famille et vous ! » (expression orale) Livre L4 : « Tour du monde en famille » (compréhension écrite)
L1 : La fête : activités, organisation L2 : Expressions dans un règlement L3 : L'écologie, la nature	L1 : *Écrit / Oral* : Le singulier et le pluriel des verbes au présent	Livre L4 : *Doc Lecture* : « L'école en Europe » (article informatif) Livre L4 : *Atelier d'écriture* : « Poésie » *À vos plumes* : « Faire une description poétique » Cahier L4 : *Doc Lecture* : « Erasmus » (messages d'un forum sur Internet) Cahier L4 : *Orthographe* : « *Tout, tous, toute, toutes* »	Livre L5 : « Chercheurs sur Internet » (travail de recherche sur Internet et présentation des résultats) @	Livre L2 : « Le présent du subjonctif (2) » (synthèse grammaticale) Livre L4 : « L'école en Europe » (compréhension écrite)
L1 : Programmes et émissions de télévision Types d'émissions L2 : Expressions pour parler du temps, de la météo L3 : Sports : football, basket	L3 : *Écrit / Oral* : Distinguer le présent, l'imparfait et le passé composé	Livre L4 : *Doc Lecture* : « Un siècle d'effets spéciaux » (article d'une revue de divulgation scientifique) Livre L4 : *Atelier d'écriture* : « Écrire à partir d'une image » *À vos plumes* : « Rédiger un article à partir d'une image » Cahier L4 : *Doc Lecture* : « On a vu, on a lu, on a aimé… » (extrait d'une revue) Cahier L4 : *Orthographe* : « *Leur, leurs* ou *l'heure ?* »	Livre L5 : « Journal télévisé » (production d'un journal télévisé)	Livre L2 : « Le récit d'une expérience » (grammaire) Livre L4 : « Un siècle d'effets spéciaux » (compréhension écrite)
L1 : La ville (équipement) L2 : Métaphores L3 : Métiers	L1 : *Écrit / Oral* : Comment parle-t-on au quotidien ?	Livre L4 : *Doc Lecture* : « L'intelligence, une faculté aux mille visages » (article d'une revue de divulgation scientifique) Livre L4 : *Atelier d'écriture* : « Rédiger un C.V. » *À vos plumes* : « Rédigez votre propre C.V. » Cahier L4 : *Doc Lecture* : « Sondage Internet » (questionnaire) Cahier L4 : *Orthographe* : « Particularités des verbes en *–cer* et *–ger* »	Livre L5 : « Jeu de rôle : deux minutes pour convaincre » (entretien pour une demande d'emploi)	Livre L1 : (expression orale) « Comment parle-t-on au quotidien ? » Livre L3 : « Métiers passion » (prise de notes à partir d'un document enregistré)
L1 : Expressions pour commenter un sondage L2 : Mots et expressions de différents registres L3 : Peintres et tableaux	L2 : *Écrit / Oral* : Les registres de langue	Livre L2 : *À vos plumes* : 1) « Écrire un dialogue où les registres de langue sont contrastés » 2) « Rédiger la fin d'un conte » Livre L3 : *À vos plumes* : « Écrire un monologue intérieur »	Livre L4 : « Photo-collage : mon paysage » (récit oral et écrit à partir d'un photo-collage)	Livre L2 : « Les registres de langue » (identification des registres)

Culture et thèmes transversaux :
Livre : Module 1 : personnages célèbres (peinture, littérature, sciences), psychologie : attitudes et comportements des élèves en classe, organisation d'un voyage, réclamation (dans un aéroport, une gare…), origine des noms de famille, description et caractérisation du groupe-classe - *Module 2 :* formules de politesse, us et coutumes du Mexique vus par une Française, vie familiale, les puces de Montreuil à Paris, peinture du XXe siècle, tour du monde en famille, organisation d'un voyage, acceptation des différences culturelles - *Module 3 :* coutumes, plats, danses typiques de différents pays, organisation d'une fête, acceptation des différences culturelles, auberges de jeunesse, acceptation de règles de comportement, gestes écologiques, respect de la nature, l'école en Europe, système scolaire français, recherches sur Internet, l'Union Européenne, créativité poétique - *Module 4 :* programmes de télévision, regard critique sur la télévision, bulletins météorologiques, catastrophes climatiques, vie des sportifs, cinéma, effets spéciaux, créativité littéraire - *Module 5 :* propositions pour améliorer l'environnement, conseils d'enfants et de jeunes, raisonnement logique et résolution de tests, créativité, métiers (avantages et inconvénients), la théorie des huit intelligences, C.V., recherche d'emploi - *Module 6 :* psychologie : comportement face à une situation embarrassante, littérature, peinture, créativité littéraire
Livre : @ = activités Internet. - *Cahier :* du *Module 1* au *Module 5*, jeux de logique

Retrouvailles

PARLER, COMPRENDRE, COMMUNIQUER

1 Répondez collectivement au questionnaire ci-dessous.

Questionnaire Spécial Vacances

1. **Qui a travaillé pendant les vacances ?**
2. **Qui s'est beaucoup ennuyé ?**
3. **Qui a beaucoup dormi ?**
4. **Qui n'est pas parti ?**
5. **Qui n'est pas allé à la plage ?**
6. **Qui a lu plus de deux livres ?**
7. **Qui est allé à l'étranger ?**
8. **Qui a parlé une langue étrangère ?**
9. **Qui a connu quelqu'un de très intéressant ?**
10. **Qui a pratiqué un sport dangereux ?**
11. **Qui est allé à un concert ?**
12. **Qui a fait plus de 500 km ?**

2 Face à face.

Jetez-vous à l'eau !

Parlez de vos vacances à votre voisin(e), puis changez d'interlocuteur / trice. Si besoin est, faites des gestes ou utilisez d'autres stratégies pour vous faire comprendre.

3 Choisissez une anecdote que vous avez retenue du récit d'un(e) de vos camarades. À tour de rôle, racontez-la. Le reste de la classe prend des notes.

Retenez les détails.

4 Écoutez ces trois mini-conversations.
Qui parle ? où ? quand ? pourquoi ? Imaginez une fin pour chacune d'elles.

Vive l'imagination !

5 Décrivez ces photos. Pouvez-vous les associer aux mini-conversations entendues ?

Soyez créatifs. Mettez en relation !

Pour vous aider

DÉCRIRE OBJECTIVEMENT UNE PHOTO
Au premier plan... on voit...
Au fond... / En haut... / En bas... /
À gauche / À droite, il y a... Il s'agit de...

COMMENTER DES PHOTOS
Cela / Ça me rappelle...
Cela / Ça me fait penser à...
J'ai choisi cette photo parce que...

Photo-langage

6 Choisissez une de ces photos pour parler de vos projets de cette année. Justifiez votre choix.

Aidez-vous d'images pour vous exprimer.

Décrivez ! Précisez !

LIRE

7 Écoutez et lisez ce sketch de Jacques Prévert. Qu'est-ce qui vous fait sourire ?

8 Préparez une lecture théâtralisée.

Bougez ! Gesticulez ! Imitez bien les intonations ! Faites rire !

L'ADDITION

LE CLIENT
Garçon, l'addition !

LE GARÇON
Voilà. *(Il sort son crayon et note.)* Vous avez... deux œufs durs, un veau, un petit pois, une asperge, un fromage avec beurre, une amande verte, un café filtre, un téléphone.

LE CLIENT
Et puis des cigarettes !

LE GARÇON *(Il commence à compter.)*
C'est ça même... des cigarettes... Alors ça fait...

LE CLIENT
N'insistez pas, mon ami, c'est inutile, vous ne réussirez jamais.

LE GARÇON
! ! !

LE CLIENT
On ne vous a donc pas appris à l'école que c'est ma-thé-ma-ti-que-ment impossible d'additionner des choses d'espèce différente !

LE GARÇON
! ! !

LE CLIENT, *élevant la voix.*
Enfin, tout de même, de qui se moque-t-on ?...
Il faut réellement être insensé pour oser essayer de tenter d'« additionner » un veau avec des cigarettes, des cigarettes avec un café filtre, un café filtre avec une amande verte et des œufs durs avec des petits pois, des petits pois avec un téléphone... Pourquoi pas un petit pois avec un grand officier de la Légion d'honneur, pendant que vous y êtes !

Il se lève.

Non, mon ami, croyez-moi, n'insistez pas, ne vous fatiguez pas, ça ne donnerait rien, vous entendez, rien, absolument rien... pas même le pourboire !

Et il sort en emportant le rond de serviette à titre gracieux.

Jacques PRÉVERT, « L'addition » in *Histoires et d'autres histoires*.

- Décrire et identifier quelqu'un
- Poser des questions sur l'identité de quelqu'un

Galerie de personnages célèbres

1 **Écoutez : qui parle ? à qui ? de qui ? pourquoi ?**

2 **Écoutez et notez les informations les plus importantes sur ce personnage.**

C'est un musicien exceptionnel du XVIIIe siècle.
C'est mon musicien préféré.
C'est lui qui a écrit « La Flûte enchantée ».
Qui est-ce ? C'est Mozart.

Nom : (de) Goya y Lucientes
Prénom : Francisco
Né à Fuendetodos (près de Saragosse) (1746-1828)
Nationalité : espagnole

C'est un artiste qui a révolutionné l'art de la peinture. Portraitiste à la cour du roi Charles IV, il est aussi célèbre pour ses gravures réalistes et satiriques. Après une vie brillante, isolé par la surdité, il finit ses jours à Bordeaux où il peint ses œuvres les plus macabres.

Nom : Blixen
Prénom : Karen
Née à Rungstedlund (Danemark) (1885-1962)
Nationalité : danoise

C'est une femme en avance sur son temps, considérée comme la plus grande femme écrivain danoise du XXe siècle. Dans ses livres de voyages, elle décrit sa vie au Kenya en donnant une vision très claire de l'époque coloniale en Afrique. Son œuvre a été portée à l'écran.

Observez et analysez

***C'EST...* ou *IL / ELLE EST...* ?**

C'est	+ un(e) + le / la + mon / ma + nom propre	+ nom + profession + nationalité	Il / Elle est	+ adjectif + profession + nationalité

3 **Jeu de lecture : le scanner.** Survolez les textes et cherchez ces informations.

QUI...

1) est né en France ?
2) est mort en 1324 ?
3) a reçu les prix Nobel de physique et de chimie ?
4) était sourd à la fin de sa vie ?
5) était écrivain ?
6) était espagnol ?
7) a été un(e) grand(e) voyageur / se ?
8) a vécu au XXe siècle ?
9) était scientifique ?
10) a vécu le plus longtemps ?

Nom : Christie
Prénom : Agatha
Née à Torquay (Royaume-Uni) (1890-1976)
Nationalité : anglaise

C'est la reine du roman policier. Elle en a écrit plus de 80, qui ont été traduits dans toutes les langues. Ses personnages les plus connus sont miss Marple et Hercule Poirot. Des millions de lecteurs ont pris plaisir à suivre ses intrigues.

Nom : Curie (Skłodowska)
Prénom : Marie
Née à Varsovie (1867-1934)
Nationalité : française (origine polonaise)

Avec son mari, Pierre Curie, ils font d'importantes recherches sur la radioactivité. Prix Nobel de physique et de chimie, c'est la première femme à être nommée professeur titulaire à la Sorbonne.

Nom : Polo
Prénom : Marco
Né à Venise (1254-1324)
Nationalité : italienne

C'est un grand voyageur et un grand commerçant qui a fait connaître à l'Europe l'organisation politique et sociale, l'artisanat et les richesses de la Chine. Il a écrit en prison *Le Livre des Merveilles du monde.*

Nom : Pasteur
Prénom : Louis
Né à Dole (1822-1895)
Nationalité : française

Savant, biologiste, homme de sciences, il fait de nombreuses recherches en chimie et en microbiologie. Il découvre le vaccin contre la rage et un système de conservation des aliments appelé la pasteurisation.

4  **Le personnage mystérieux.**

1) Écoutez ces indices et devinez de qui il s'agit.

2) À vous ! Inventez d'autres devinettes sur des personnages de votre choix.

5  **Écoutez et imaginez : lequel de ces personnages parle ?** Justifiez vos réponses.

6  **À vous !** Enrichissez cette galerie de personnages célèbres. Choisissez un personnage et préparez une fiche de présentation.

Pour vous aider

S'INFORMER SUR L'IDENTITÉ DE QUELQU'UN (RÉVISION)

- Qui est-ce ? Quel est son nom ? et son prénom ?
- Quelle est sa date de naissance ?
- Où est-ce qu'il / elle est né(e) ? Dans quelle ville ?
- Quelle est sa nationalité ?
- Quelle est sa profession ?
- Où est-ce qu'il / elle habite ? Dans quel pays ?
- Où et quand est-ce qu'il / elle est mort(e) ?
- Quels sont ses traits de caractère ?
- Pourquoi est-ce qu'il / elle est célèbre ?
- Qu'est-ce qu'il / elle a fait d'important ?

Qui est qui ?

1 Observez l'illustration et lisez les descriptions ci-contre. À quel personnage correspond chacune d'elles ?

2 Écoutez, relisez et comparez vos réponses avec votre voisin(e).

3 Relevez dans les textes de la page 9 toutes les expressions qui indiquent la place de ces élèves dans la classe.
Et vous, où aimez-vous vous asseoir ? pourquoi ?

POUR MIEUX EXPRIMER VOTRE POINT DE VUE Voir Cahier personnel, page 11.

4 Un(e) élève lit à haute voix l'une des descriptions, l'autre mime pour montrer qu'il / elle a compris.

Attention ! Une étiquette qu'on colle sur votre dos, c'est parfois lourd à porter.

5 D'après vous, est-ce que tous les comportements possibles sont représentés ? Lesquels ne le sont pas ? Dans quelle(s) situation(s) se manifestent-ils ?

→ LE CRÂNEUR
Il parle très fort et prend la parole en permanence. Il s'assoit au milieu de la classe, les jambes écartées. Il prend beaucoup de place. Il marche droit, le buste en avant. Il pointe l'index vers les autres pour les intimider.

→ LA REBELLE
Les injustices la révoltent. Elle est toujours prête à lancer un débat. Elle s'assoit au fond de la classe pour contrôler la situation. Elle parle la tête haute, les épaules en arrière, le regard limpide. Elle est sincère et pas très diplomate. Sa phrase : « C'est pas juste ! »

→ LE BÛCHEUR
Il est toujours assis au premier rang. Il sort ses cahiers et sa trousse avant que le professeur arrive. Inutile de lui faire des petits commentaires pendant le cours, il est trop occupé à lever le doigt.

→ LA « TÊTE D'ANGE »
Il est très gentil, même trop gentil quand le professeur est là. Il fait les yeux doux, il ne bouge pas. Mais quand il n'y a pas de surveillance, sa personnalité change complètement. Il fait beaucoup de bêtises, raconte des blagues et se conduit comme un vrai diable.

→ LA RÊVEUSE
Accoudée sur sa table, elle tournicote tout le temps sa mèche de cheveux et regarde rêveusement par la fenêtre. Elle descend de son nuage seulement quand le prof l'interroge.

→ LA « REINE DES COULOIRS »
Elle adore se faire belle. Elle trouve mille excuses pour sortir (aller chercher des craies, accompagner quelqu'un à l'infirmerie...). Ses multiples relations la retiennent souvent dehors. Elle salue, elle raconte, elle écoute... Sa phrase : « Tu connais la dernière ? »

→ LE TURBULENT
Il bouge sans arrêt, parle, rit. Il tape du pied, il mâche du chewing-gum, il jette des boulettes de papier, il regarde en arrière, à gauche, à droite... Le professeur l'oblige à s'asseoir au premier rang. Parfois il écoute, mais seulement quand il est passionné par le sujet.

→ LE FLEMMARD
Il est très paresseux. Il s'assoit au dernier rang, les jambes bien allongées, les mains dans les poches, à moitié couché sur sa chaise. S'il ouvre la bouche, c'est pour demander une feuille de papier ou un crayon. D'habitude, il n'ouvre même pas son sac. Sa phrase : « C'est pas grave ! ».

→ LES « SIAMOISES »
Elles s'assoient tellement près l'une de l'autre qu'elles partagent tout, le livre, les crayons, la gomme et même la feuille sur laquelle elles écrivent. Elles ne se séparent jamais. Elles bavardent sans arrêt, se passent des petits billets mystérieux. Elles vivent dans leur bulle, tout à fait isolées du reste du monde.

→ LE BON COPAIN
Il s'assoit aussi bien avec les filles qu'avec les garçons. Il passe autant de temps avec les uns qu'avec les autres. C'est vraiment l'ami de tout le monde. C'est le plus sympa de la classe. Il ose même être gentil avec le prof !

Observez et analysez

LES ADVERBES (RÉVISION)

Manière : mal, vite, ensemble, lentement...
Temps : tôt, tard, avant, après, parfois...
Quantité : (un) peu, assez, complètement, tellement...
Lieu : dehors, derrière, partout, loin...
Certitude / Doute : bien sûr, peut-être, sûrement...
Négation : ne ... pas, ne ... plus, nulle part...

A **Complétez les listes ci-dessus à l'aide des adverbes du texte.**

Les adverbes modifient un adjectif, un verbe, un autre adverbe ou toute la phrase.

B **Cherchez des exemples dans les descriptions ci-contre.**

6 **Pouvez-vous parler de certains aspects de votre personnalité ?**
Utilisez ces machines à phrases.

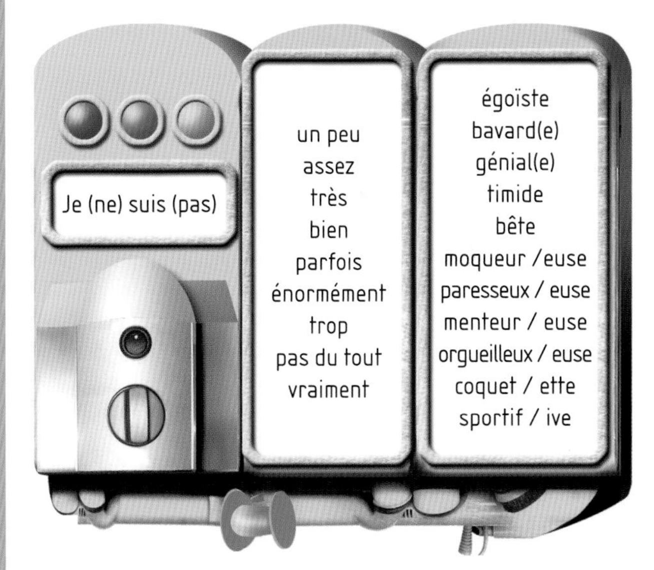

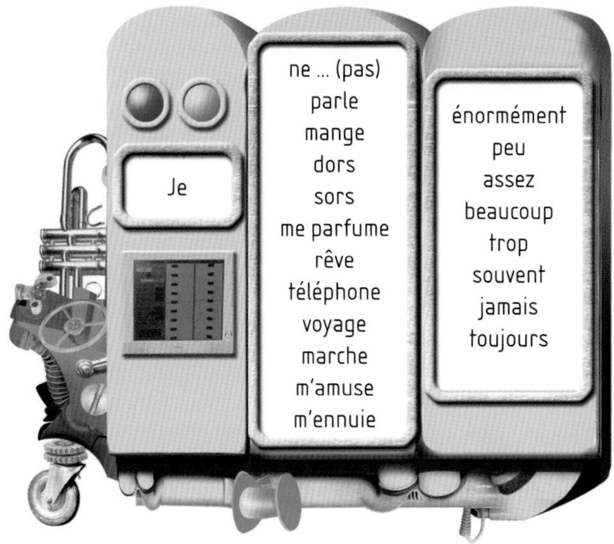

- Décrire un objet
- Signaler la perte d'un objet
- Donner des informations approximatives

Voyage, voyage...

1 Écoutez et chantez.

Je m'en vais au Canada
Je n'sais pas
S'il fait chaud, s'il fait froid

Alors, dans mon 

J'ai mis tout ce qu'il faut :

Un gros  en laine

Une indienne

Trois en coton

Des à talons

Une à carreaux

Une vert fluo

Ma plus belle 

Quatre paires de 

Un en soie

Et une  de toi...

Je m'en vais à Miami
Tout seul et sans amis
Pour ne pas m'ennuyer
J'ai pris ce qu'il fallait :

L' numérique

Des  fantastiques

Ma belle  à voile

Mon vieux  bleu pâle

Mes  préférés

Mes vingt meilleurs 

Des  d'ordinateur

Un  à fleurs

Mon  à pois

Et une  de toi

2  **Destination inconnue !** Vous décidez de partir en voyage. Faites la liste de ce que vous emportez et lisez-la au reste de la classe. Ils doivent deviner votre destination.

3 Inventez une autre strophe à cette chanson.

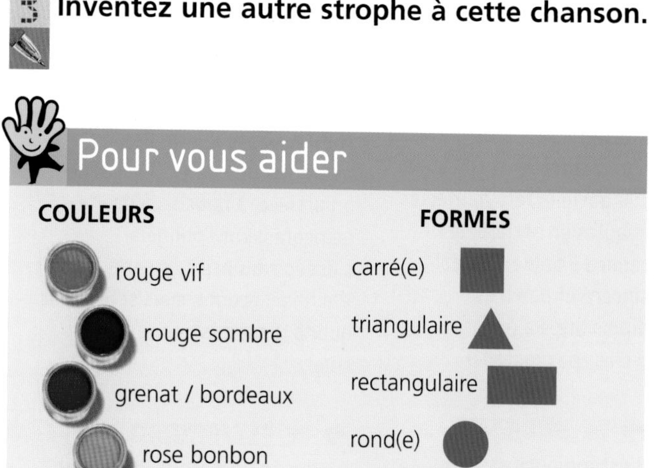

Pour vous aider

COULEURS

rouge vif
rouge sombre
grenat / bordeaux
rose bonbon
rose pâle
jaune citron
jaune paille
beige
blanc cassé
bleu clair
bleu ciel
bleu turquoise
bleu marine
violet
mauve
vert clair
vert foncé
vert pistache
vert olive
vert émeraude
vert fluo

FORMES

carré(e)
triangulaire
rectangulaire
rond(e)

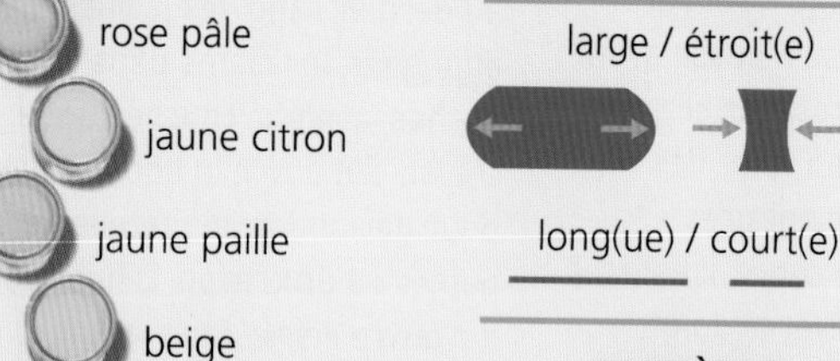

large / étroit(e)

long(ue) / court(e)

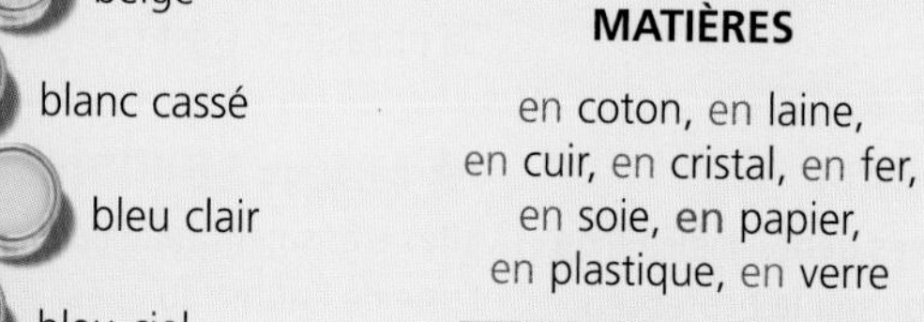

MATIÈRES

en coton, en laine, en cuir, en cristal, en fer, en soie, en papier, en plastique, en verre

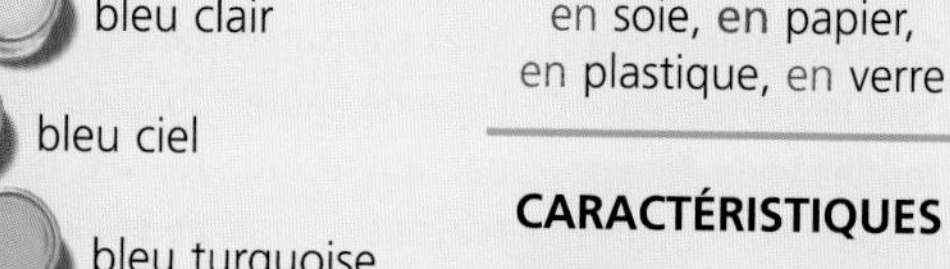

CARACTÉRISTIQUES

à fleurs à pois

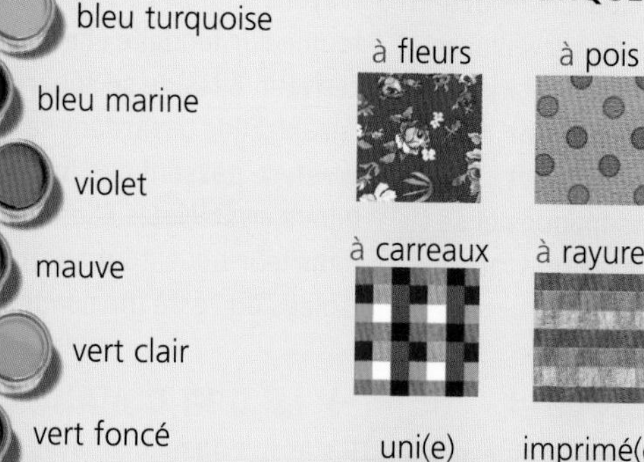

à carreaux à rayures

uni(e) imprimé(e)

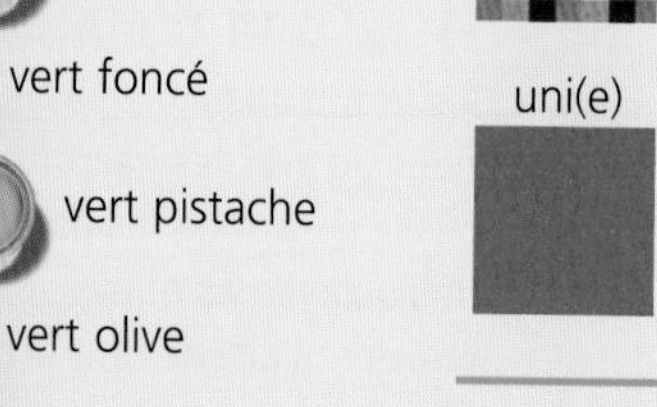

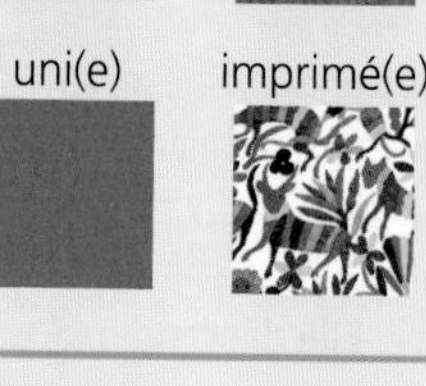

une brosse à dents un fer à repasser

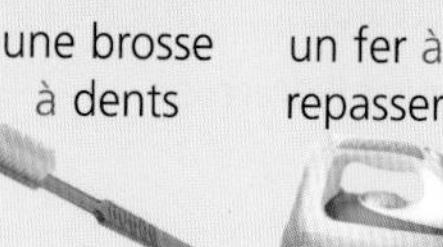

À l'aéroport

4 **Écoutez ce dialogue à l'aéroport de Pau.** Que se passe-t-il ?

5 **Quelles sont les caractéristiques de la valise perdue ?**

6 **Jeu : l'objet mystérieux.** Pensez à un objet. Décrivez sa forme, sa couleur, ses autres caractéristiques... Le reste de la classe devine.

7 **Est-ce qu'il vous est déjà arrivé de perdre un objet ? lequel ? où ? quand ?** L'avez-vous retrouvé ? comment ?

8 **Vous avez perdu un objet dans le bus, dans le métro, dans le train...** Vous le signalez au bureau des objets trouvés. Jouez la scène.

POUR MIEUX COMPRENDRE À L'ORAL

Interpréter l'environnement sonore (bruits, voix, intonations...) permet de déduire plus facilement le sens d'un message oral.

- Bonjour madame. Je voudrais signaler la perte de ma valise !
- Ne vous inquiétez pas, madame, généralement on retrouve les bagages perdus dans les 48 heures !
- Oui, mais moi, j'en ai besoin, maintenant ! Il y a mon agenda, à l'intérieur ! Je ne peux rien faire, sans mon agenda !!!
- Calmez-vous, madame, nous allons faire notre possible. D'abord, regardez bien ce dessin. Pouvez vous reconnaître la forme de votre valise ?
- Elle est peut-être comme celle-ci... mais je ne suis pas sûre.
- Bon, je vais vous aider... On va essayer de remplir ce formulaire. Voyons... Combien mesure votre valise ?
- Fffffff... Je ne sais pas, moi... Elle est plutôt grande... un mètre à peu près...

[...]

Pour vous aider

DONNER DES INFORMATIONS APPROXIMATIVES

Elle pèse à peu près 10 kilos.
Elle mesure environ 1 mètre.
Elle est plus ou moins carrée.
Elle est plutôt grande.

C'est une sorte de bijou.
C'est une espèce de jouet.
Ça ressemble à une boîte.
On dirait un livre.
C'est un truc en bois.

ÉcritOralÉcritOralÉcritOral

LES VOYELLES NASALES

Un grand blond vend du pain.
[œ̃ gʀɑ̃ blɔ̃ vɑ̃ dy pɛ̃]

Répétez les phrases suivantes, puis écrivez-les et relisez-vous.
Rappelez-vous les différentes manières d'écrire les voyelles nasales.

Exemple : Demain, je prendrai un bon bain.
[dəmɛ̃ ʒə pʀɑ̃dʀɛ œ̃ bɔ̃ bɛ̃]

DOC LECTURE *L'origine des noms de famille*

Jusqu'au XIe siècle, les personnes ne portent qu'un nom de baptême. Au XIIe siècle, à cause de l'explosion démographique, un sérieux problème apparaît : beaucoup de gens portent le même nom. Il suffit de crier « Richard ! » sur la place d'un village pour que tout le monde se retourne. D'où l'idée d'adjoindre un surnom distinctif : Richard Lepetit, si l'individu est de petite taille, Richard Bonnemaison, s'il habite une belle maison... Peu à peu ce surnom est transmis aux enfants. C'est la naissance du nom de famille.

Les noms de famille viennent :

- **D'anciens prénoms de baptême** : Nicolas, André, Alain...
- **De l'évolution d'un nom au cours des siècles** : Laurancin, Laurencin...
- **De professions** : Meunier, Maréchal, Boulanger...
- **De surnoms liés à l'apparence physique** : Roux, Petit, Leborgne...
- **De surnoms liés aux traits de caractère** : Lesage, Lebon, Gentil, Hardy...
- **De lieux géographiques** : Dupont (habitant près d'un pont), Dupré (près d'un pré), Breton...
- **De plantes, d'arbres, d'animaux** : Duchêne, Lebœuf, Lechat...
- **Du rang social** : Lemaire, Roy, Leduc...

1 **Est-ce qu'on peut classer de la même façon les noms de famille usuels de votre pays ?**

Les noms qui pèsent lourd

Le nom de famille est un héritage qui peut se révéler lourd à porter. Qui d'entre nous n'a pas connu un(e) camarade de classe, un(e) voisin(e) dont le nom prêtait à sourire ? Certaines personnes portent avec dignité et un grand sens de l'humour, des noms tels que Boudin, Le Pourry, Conart, Mortdefroy, Lanusse ou Lavache... D'autres préfèrent modifier leur nom, pour pouvoir mener une vie sociale plus sereine.

2 **Connaissez-vous dans votre langue des noms de famille lourds à porter ?**

Le « top ten » des noms de famille en France :

1. Martin • 2. Bernard • 3. Thomas • 4. Petit • 5. Robert • 6. Richard • 7. Durand • 8. Dubois • 9. Moreau • 10. Laurent

Contrairement aux idées reçues, les Dupont ne se placent qu'en 28e position après les Garcia !!!

3 **Et chez vous, quel est le « top ten » des noms de famille ?**

Transmission du nom de famille en France

Jusqu'en décembre 2004, l'enfant portait obligatoirement le nom du père et le nom de la mère disparaissait. Actuellement, depuis la réforme entrée en vigueur le 1er janvier 2005, les enfants peuvent porter le nom du père ou de la mère, ou une combinaison du nom des deux parents.

Extraits tirés du site www.guide-genealogie.com © CDIP

4 **Et dans votre pays, comment se transmettent les noms de famille ?**

Dans certains pays, quelques lettres finales ou des préfixes sont ajoutés au nom du père pour marquer la filiation :

- « ez » chez les Espagnols (Martínez, Sánchez...).
- « son » chez les Anglais (Wilson, Thomson...).
- « i » chez les Italiens (Marini, Alberti...).

Chez les Irlandais, on fait précéder le nom de Mac (Mac Donald, Mac Arthur...).

Chez les Arabes et les Juifs, c'est le préfixe Ben, généralement séparé du nom, qui marque la filiation (Ben Hammou, Ben Ami...).

Recherchez les noms de famille les plus fréquents dans certaines régions, des noms de famille lourds à porter...

Atelier d'écriture

Faire le portrait de quelqu'un

LE PROFESSEUR SCHEMIEL

Je suis facile à reconnaître. Si vous croisez dans la rue un homme qui porte un manteau trop long, des chaussures trop grandes, un chapeau à large bord [...], des lunettes auxquelles il manque un verre et qui tient à la main un parapluie [...], **c'est moi**, le professeur Schemiel.

J'ai d'autres signes distinctifs : mes poches débordent toujours de journaux, de magazines, de bouts de papier. Je transporte partout une valise [...] et je n'arrête pas de me tromper. En tout. J'habite New York [...] et **si je** veux aller au nord de la ville, **je** me retrouve au sud. **Si je** veux aller à l'ouest, **je** pars vers l'est. Je suis toujours en retard et je ne reconnais jamais personne.

Je perds mes affaires. **Cent fois par jour** je me demande, mais où est mon stylo ? Où est mon argent ? Où est mon mouchoir ? Je ne retrouve plus mon carnet d'adresses. **On dit que je suis le type même** du professeur distrait.

Le jour où je me suis perdu dans *Contes*. Isaac Bashevis Singer. © Stock, 1985

1 **Lisez ce texte.** Quelle est la principale caractéristique du professeur Schemiel ? Relevez dans le texte tous les éléments qui la dévoilent.

Pour faire le portrait de quelqu'un, on peut décrire :
- son aspect physique : visage, corps, allure, gestes habituels,
- sa façon de s'habiller,
- ses traits de caractère, sa personnalité,
- ses habitudes, ses passe-temps préférés...

2 **Quels aspects mentionnés dans l'encadré sont décrits dans le texte ci-dessus ?**

À vos plumes !

3 **Faites un portrait à la manière du professeur Schemiel.** Réutilisez tous les mots en gras. Quel est le trait de personnalité qui caractérise le mieux votre personnage ? Comment cette caractéristique se reflète-t-elle dans son allure, dans ses gestes ?

PROJET Notre groupe : page d'accueil

- **Présentez votre groupe-classe.**
  Quels sont vos signes distinctifs ? (nombre de garçons et de filles, moyenne d'âge, pays d'origine…)
  Depuis quand êtes-vous ensemble ?
  Quelles sont vos qualités ? vos défauts ?
  Que dit-on de vous ?
  Quels sont vos goûts ? vos devises ?
- **Donnez d'autres informations intéressantes sur vous.**
- **Cherchez un nom ou un pseudonyme qui correspond bien à votre groupe.**
- **Illustrez votre présentation avec un photomontage, des logos, des dessins…**

AFFICHE ← OU → BLOG

Nous sommes un groupe de 6 filles et 13 garçons.
Nous avons entre 15 et 16 ans.
Nous sommes très bavards et nous n'aimons pas trop travailler.
Nous préférons faire la fête !!!
Nous sommes très chics et nous adorons être bien habillés.
Admirez-nous sur la photo ! Quel look !

Le blog de la classe de français de 4°
Bienvenu(e)s sur notre blog !
Ici, vous découvrirez la vie de notre classe.

Sujets
- Nos productions écrites
- Nos phrases préférées
- Nos dessins
- Nos coups de cœur
- Nos projets
- Quoi de neuf ?
- Nos voyages
- L'actualité
- Nos photos préférées…

Bonne visite !

TEST DE COMPRÉHENSION ORALE !!!

Pubs

Cahier d'exercices, page 16

ÊTES-VOUS CAPABLE DE...?

VOUS INFORMER SUR L'IDENTITÉ DE QUELQU'UN

 oui  non (Voir Livre, p. 6, 7)

1 **Oral en tandem. Pensez à quelqu'un que vous aimez bien et répondez aux cinq questions que votre camarade vous pose sur son identité, puis échangez vos rôles.**

Score / 10

DIFFÉRENCIER L'USAGE DE *C'EST...*, *IL / ELLE EST...*

 oui  non (Voir Livre, p. 6, 7)

2 **Expliquez dans quel cas on utilise *c'est...* et dans quel cas on utilise *il / elle est...***

Score / 5

DÉCRIRE QUELQU'UN

 oui  non (Voir Livre, p. 8, 9)

3 **Choisissez deux de ces personnages et décrivez-les.**

Score / 10

DÉCRIRE UN OBJET

 oui  non (Voir Livre, p. 10, 11)

4 **Vous avez oublié votre sac de gym dans la cour du lycée. Vous essayez de le récupérer. Expliquez comment il est. Donnez des informations approximatives quand vous ne connaissez pas les caractéristiques précises (*à peu près, plus ou moins, plutôt, on dirait...*).**

Score / 10

DÉCRIRE L'ATTITUDE DE QUELQU'UN

 oui  non (Voir Livre, p. 8, 9)

5 **Décrivez un des « spécimens » de votre classe.**

1) Que fait-il / elle d'habitude ?
2) Quel est son endroit préféré dans la classe ?
3) A-t-il / elle une façon spéciale de s'asseoir ou de bouger ?
4) Comment s'habille-t-il / elle normalement ?

Score / 10

Score total / 45

- Donner des ordres
- Intervenir poliment dans une conversation

À la gare

1 Observez et écoutez : qui parle ? où ?

Dans le train

- Stanislas, assieds-toi ! Tu ne vois pas que tu bloques le passage ?
- Laissez-le, c'est pas grave…
- Arrête de donner des coups de pieds, tu vas faire mal à la jeune fille…
- Ça ne fait rien ! Ne le grondez pas !
- Stanislas, mange ton sandwich ! Et ferme ta bouche ! Attention à ton jus de fruits ! Ne le renverse pas sur le pantalon du monsieur ! Ahhh !
- Ça n'a pas d'importance…
- Stanislas, ce n'est pas une couchette ! Assieds-toi comme il faut ! Mais non, pas sur le sac de la dame ! Ne l'écrase pas comme ça !
- Laissez-le, il est fatigué…
- Écoute-moi, Stanislas, tu vois bien que le monsieur travaille. Ne mets pas tes mains sales sur son ordinateur !
- Ah non, madame ! Là, c'est trop ! Ça suffit ! Dites-lui d'arrêter.
- Mais enfin, monsieur, calmez-vous, ce n'est qu'un enfant ! Il a envie de jouer… tout simplement ! Il faut avoir un peu de patience, avec les petits !

2 Écoutez. Combien de fois est-ce que la mère s'adresse à son fils par son prénom ? Qu'est-ce qu'elle lui dit de faire ? Et de ne pas faire ?

3 Lisez le dialogue à haute voix en imitant les intonations. Jouez la scène.

4 À la loupe : jeu d'observation. Observez attentivement l'illustration. Ensuite la moitié de la classe ferme le livre et répond (de mémoire) aux questions de l'autre moitié.

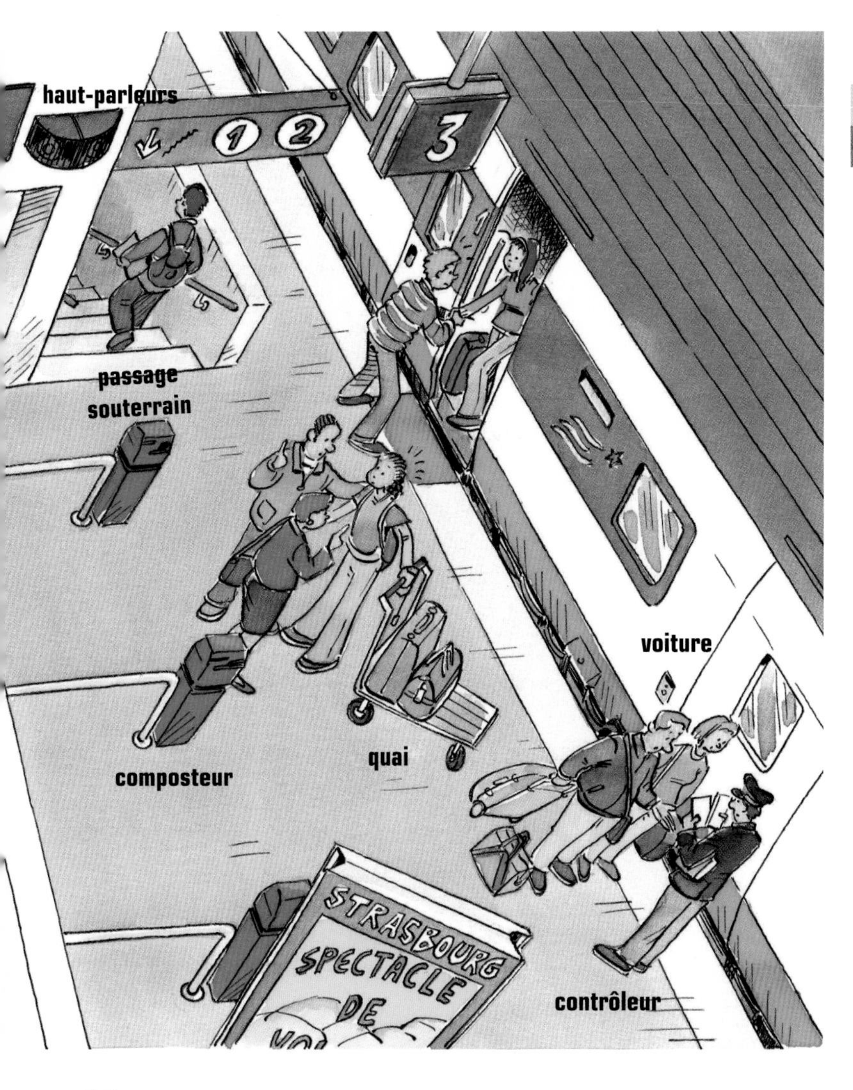

Écoutez, observez, analysez

L'IMPÉRATIF AVEC DES PRONOMS (RÉVISION)

Répondez-moi !	**Ne** me répondez **pas** !
Laisse-le !	**Ne** le laisse **pas** !
Lève-toi !	**Ne** te lève **pas** !
Asseyez-vous !	**Ne** vous asseyez **pas** !
Écris-lui !	**Ne** lui écris **pas** !

A **Observez les pronoms. Quels changements se produisent à la forme négative ? Trouvez d'autres exemples.**

B **Écoutez et répondez à la forme négative.**

6 **Vive la politesse !** Écoutez et chantez.

Bon voyage !
Bon séjour !
À la prochaine !
À un de ces jours !
Merci beaucoup.
Je vous remercie,
Il n'y a pas de quoi.
Je vous en prie.

Pardon monsieur.
Excusez-moi
De vous déranger.
Cette place est libre ?
C'est occupé ?
Mais non madame,
Asseyez-vous.
Merci mon p'tit,
C'est très gentil.

Faites attention
Avec vos pieds !
Je suis désolé.
Je n'ai vraiment
Pas fait exprès.
Ce n'est pas grave.
Ça ne fait rien.
Un petit sourire,
Ça fait du bien.
[…]

Refrain :

Un jus de fruits, un petit biscuit ?
Oui, volontiers, avec plaisir !

7 **Citez trois manières de...**
a) remercier ; **b)** répondre à un remerciement ; **c)** dire au revoir

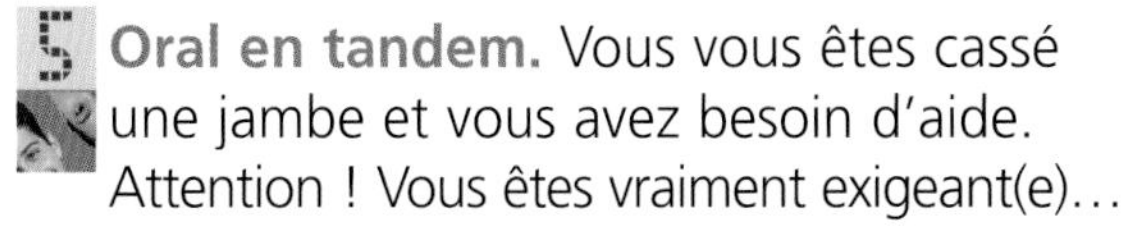

5 **Oral en tandem.** Vous vous êtes cassé une jambe et vous avez besoin d'aide. Attention ! Vous êtes vraiment exigeant(e)…

Exemple : Apporte-moi une chaise, s'il te plaît. Ne la mets pas trop loin…

ÉcritOralÉcritOralÉcritOral

LES CONSONNES DOUBLES ET TRIPLES
stop, strict, splendeur, scrutin, spécimen, squelette

Écoutez et répétez, puis écrivez et lisez.
C'est stupéfiant ! Le train spécial pour Strasbourg est stoppé !

- Raconter un événement passé (révision)
- Exprimer la cause
- Situer dans le temps différents événements

Un mariage au Mexique

La Paz, le 16 novembre

Chère Danièle,
Je t'écris cette lettre du Mexique, puisque je n'ai pas pu te contacter avant mon départ ! Je suis ici avec toute ma famille parce que ma sœur Laurence a eu l'heureuse idée de se marier avec Luis, un beau Mexicain de 25 ans !!!
Ils se connaissent depuis deux ans. Laurence est venue faire des études d'océanographie à La Paz, dans le Sud de la Basse-Californie. Luis faisait les mêmes études... et puis voilà, ils se sont mariés la semaine dernière !!!
Il faut dire que je la comprends car Luis est adorable et ce pays est une merveille.
Tout est différent : le climat, l'architecture, la végétation...
Le mariage s'est très bien passé. C'était super romantique... D'abord, la cérémonie a eu lieu au coucher du soleil, sur la plage. Ensuite, pendant le repas, il y avait un groupe de mariachis... Puis on a dansé... Mais comme nous étions très fatigués à cause du décalage horaire (eh oui, nous sommes arrivés le matin même !), nous sommes allés nous coucher vers minuit... Finie, la grande fiesta !!!
Notre séjour se passe à merveille : Laurence et Luis nous ont fait découvrir des coins fabuleux. On a même fait de la plongée sous-marine. C'était génial, tous ces poissons exotiques !!!
Tout le monde s'entend très bien. Ce qui est amusant, c'est que ma famille ne parle pas un mot d'espagnol et la famille de Luis, pas un mot de français, mais on se comprend quand même, avec les gestes, les sourires...
Je sens ma sœur très heureuse. Avant, elle était toujours sérieuse, un peu triste et maintenant elle est souriante, vivante... Elle s'est très bien adaptée. Son travail lui plaît et elle s'entend très bien avec ses beaux-parents et avec sa belle-sœur...
Un seul petit problème : la nourriture ! C'est hyperpiquant ! Je ne sais pas si elle arrivera à s'y habituer !
Ah ! j'oubliais ! Comme ma grand-mère n'a pas pu se déplacer et qu'elle ne veut pas rater le mariage de sa petite-fille, ils se remarieront en Normandie !
Toute la famille mexicaine a déjà réservé son billet d'avion. Ce sera le 21 Mai, à Cherbourg.
Je compte sur toi ! J'espère que tu pourras venir... On s'amusera bien, tu verras !

Je t'embrasse,
Isabelle

P.S. : Je t'envoie des photos du mariage. On est beaux, hein !?

1 Lisez la lettre d'Isabelle.

1) Où est-elle ? avec qui ? pourquoi ?
2) Racontez l'histoire d'amour de Laurence et Luis.
3) Que nous apprend Isabelle sur le mariage de sa sœur ? et sur le Mexique ?
4) Que propose Isabelle à Danièle ?
5) D'après vous, qui sont les personnes qui apparaissent sur les photos ?

2 Quels sont les temps verbaux utilisés dans cette lettre ? Citez des exemples.

3 Par groupes de deux, mettez votre mémoire à l'épreuve ! Livre fermé, posez-vous l'un à l'autre des questions sur le contenu de la lettre.

Observez et analysez

LA CAUSE

Isabelle est très contente parce que sa sœur est heureuse.
Puisqu'il faisait beau, nous sommes allés faire de la plongée sous-marine.
Comme ma grand-mère n'a pas pu se déplacer, ils se remarieront en Normandie !

Je la comprends car* Luis est adorable.
Grâce à Laurence, nous avons visité le Mexique.
Nous étions très fatigués à cause du décalage horaire.

(*) utilisé surtout à l'écrit

A **Identifiez la cause et la conséquence dans chacune des phrases précédentes. Est-ce que l'ordre dans lequel elles se présentent est toujours le même ?**

B **Quels mots introduisent une subordonnée de cause ?**

C **Quels mots introduisent une cause dans une phrase simple ?**

D **Comparez avec votre langue.**

4 **Oral en tandem.** Avez-vous déjà assisté à un mariage ? Posez-vous mutuellement des questions et racontez des anecdotes.

5 **Danièle répond à la lettre d'Isabelle pour accepter ou refuser son invitation.**

6 **La famille et vous !** Diversité
Cherchez dans votre famille quelqu'un qui répond à ces caractéristiques.

1) Qui est célibataire ? marié(e) ? …
2) Avec qui vous vous entendez le mieux ? …
3) Qui vous inspire beaucoup de tendresse ? …
4) …

- S'informer sur un produit et sur ses caractéristiques avant de l'acheter
- Manifester ses impressions au sujet d'un tableau

Aux puces de Montreuil

Les puces de Montreuil sont un petit paradis pour les chineurs. Petit mobilier, bibelots, épices, vêtements, on y trouve tout à tous les prix ! Ce marché perpétue sa renommée depuis 1860.

1 **Observez ces photos.** Là où vous habitez, y a-t-il des marchés comme celui-ci ?

2 **Jeu d'observation.** Observez bien une de ces photos et puis, livre fermé, décrivez-la. Le reste de la classe contrôle si ce que vous dites est exact.

3 **Voici des conversations entendues aux puces.** Indiquez qui parle, à qui et pourquoi.

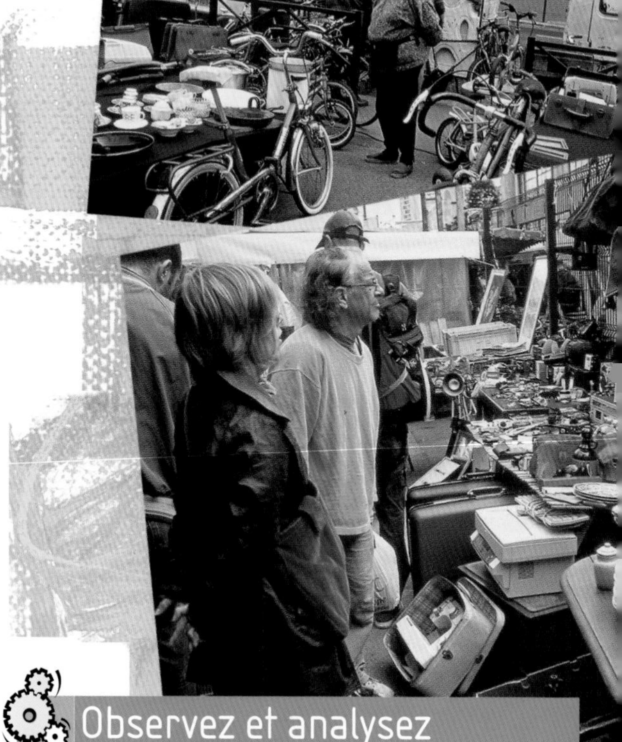

Situation 1 :

- Pardon monsieur, il coûte combien, ce 33 tours ?
- Celui-ci ??? 80 €, une véritable affaire...
- Non, non, c'est trop cher pour moi.
- Allez... vous êtes sympathique... je vous fais un petit prix.
- Oh, vous savez... même avec un petit prix, ça reste trop cher pour moi...

Situation 2 :

- Vous les vendez combien, ces livres ?
- Ceux-ci, ils sont à 3 €...
- Et ceux d'à côté... ?
- Pareil...
- Mais !!! ils sont à moitié déchirés !!!
- Écoutez monsieur. Que voulez-vous pour ce prix là ??? Je ne vous oblige pas à les acheter !

Situation 3 :

- Dis maman, c'est quoi ce truc-là ?
- C'est un gramophone.
- Ça sert à quoi, un gramophone ?
- Ben... à écouter de la musique. En réalité, c'est l'arrière-grand-père des lecteurs de CD.
- Ah bon ? Comment ça marche ? Ça se branche ?
- Vous voulez l'essayer, madame ? Celui-ci, il marche par-fai-te-ment. Il est en très bon état. Tenez ! Écoutez...

Situation 4 :

- Monsieur, pourriez-vous me montrer cette machine à écrire ?
- Laquelle ? celle-ci ? celle de droite ?
- Non, l'autre, celle qui est à côté du grand vase bleu... Voilà !
- Tenez, regardez... C'est une vieille Remington des années 30...
- Comme elle est jolie !
- C'est quand même bizarre... hein ! Tu tombes toujours amoureuse des trucs les plus inutiles !
- Eh oui... mon amour...

Observez et analysez

LES PRONOMS DÉMONSTRATIFS

	singulier	pluriel
masculin	celui-ci, celui-là celui de... celui qui / que...	ceux-ci, ceux-là ceux de... ceux qui / que...
féminin	celle-ci, celle-là celle de... celle qui / que...	celles-ci, celles-là celles de... celles qui / que...
neutre	ceci, cela (ça), ce qui / que	

A **Cherchez dans chaque dialogue les pronoms démonstratifs.**

B **Quel mot remplacent-ils dans chaque cas ?**

C **Dans quels cas sont-ils suivis d'une phrase ? et d'un complément ?**

Lequel de ces tableaux vous plaît le plus ?

4 Jeu de rôle. Choisissez un des dialogues précédents et jouez la scène. Vous pouvez :
1) jouer la scène telle quelle.
2) remplacer l'objet dont il est question par un autre.
3) changer la fin.

5 Voici trois chefs-d'œuvre de la peinture du XXe siècle. Observez les trois tableaux et répondez aux questions suivantes en utilisant des pronoms démonstratifs. (Variez la façon de désigner le tableau.)

Lequel est le plus réaliste ? Lequel est surréaliste ? Quel est celui qui vous fait sourire ? Qui vous fait rêver ? Qui vous fait réfléchir ? Etc.

Exemple : Lequel de ces trois tableaux est le plus réaliste ? Celui de... / Celui qui a... / Celui qui est...

6 À vous ! Proposez d'autres éléments à comparer. Posez-vous des questions comme dans l'exercice précédent.

Exemples : deux équipes de foot, deux acteurs, deux livres, deux films, trois plats...

POUR MIEUX COMMUNIQUER : ÊTRE ASSERTIF/VE
Voir Cahier personnel, page 12.

Observez et analysez

LES PRONOMS INTERROGATIFS

Quel sac te plaît le plus ?
Lequel des trois te plaît le plus ?

Quelles bottes tu préfères ?
Lesquelles tu préfères ?

	singulier	pluriel
masculin	lequel	lesquels
féminin	laquelle	lesquelles

A Lisez les pronoms ci-dessus.

B Y a-t-il une différence de prononciation ?

C Dans quel cas utilise-t-on chacun d'eux ?

DOC LECTURE

Tour du monde en famille

Quitter son boulot, ses amis, ses habitudes pour sillonner le globe, beaucoup en rêvent. Deux couples et leurs enfants ont tenté l'aventure. Ils sont revenus enchantés et n'ont qu'une envie... repartir.

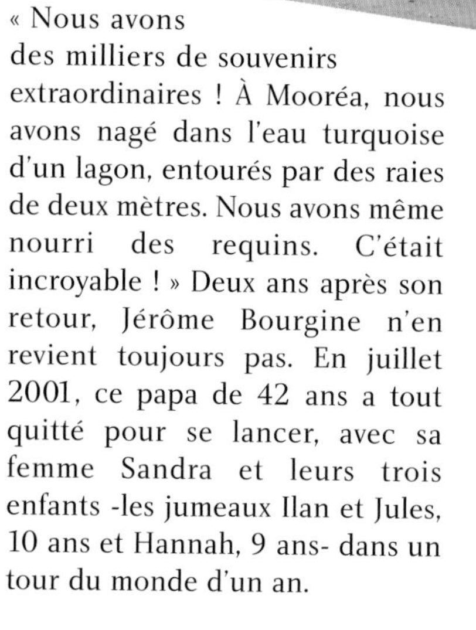

« Nous avons des milliers de souvenirs extraordinaires ! À Mooréa, nous avons nagé dans l'eau turquoise d'un lagon, entourés par des raies de deux mètres. Nous avons même nourri des requins. C'était incroyable ! » Deux ans après son retour, Jérôme Bourgine n'en revient toujours pas. En juillet 2001, ce papa de 42 ans a tout quitté pour se lancer, avec sa femme Sandra et leurs trois enfants -les jumeaux Ilan et Jules, 10 ans et Hannah, 9 ans- dans un tour du monde d'un an.

Annie et Stéphane Marais en rêvaient aussi depuis longtemps. Ils ont attendu la naissance de Léo, le petit dernier, pour sillonner la planète pendant quatre ans en camping-car avec leurs trois enfants, âgés de 2, 5 et 7 ans.

Pour tous, les vrais préparatifs ont commencé un an avant le départ. « On a vendu notre maison, nos meubles, notre voiture. L'argent nous a permis d'acheter le camping-car », explique Annie Marais.

Si parcourir le monde et découvrir de nouvelles cultures sont les motivations premières des globe-trotters, se retrouver avec les siens était une aspiration commune aux deux familles. « On a connu des moments de communion parfaite, impossibles en France parce qu'il y a l'école, la télé, les copains », confie Jérôme Bourgine.

L'âge idéal pour les enfants : entre 5 et 11 ans

La volonté de transmettre certaines valeurs aux plus jeunes fait aussi partie de ce type d'aventure. Les confronter à la diversité des cultures, des économies, les aide à ne plus regarder leur monde comme un monde modèle. D'où l'importance de l'âge. L'idéal ? Après 5 ans et avant la puberté.

Et l'école ?

Comme il est essentiel que les enfants aillent de temps à autre à l'école pour apprendre à communiquer et à partager un espace commun avec d'autres, lors des escales les enfants étaient inscrits dans les écoles locales. Le reste du temps, les parents ont joué le rôle d'enseignants, en utilisant comme support les cours du Cned*. Quelques heures par semaine suffisaient souvent à suivre le programme, ce qui convenait à tout le monde. Car, durant cette parenthèse enchantée, la découverte de lieux magiques et les rencontres enrichissantes sont beaucoup plus importantes...

Mais après ces longs mois de découverte, comme dans un rêve, il n'est pas évident de remettre les pieds sur terre. Si les enfants ont repris le chemin de l'école sans problèmes, l'inévitable retour a été difficile pour les adultes. Pour tous l'envie de repartir est omniprésente : être sur les routes leur manque. Reste à convaincre les enfants car pour l'instant, ils refusent de quitter une nouvelle fois l'école et leurs amis.

* Centre national d'enseignement à distance.

Famille Bourgine

Sandra, conseillère immobilier, 46 ans ; Jérôme, auteur, 45 ans ; leurs enfants, Jules et Ilan, 13 ans, et Hannah, 12 ans.
Moyens de transport : avion, bateau, train... le tout, sac au dos durant un an.
Itinéraire : Amérique du Sud, Océanie, Asie, Afrique du Sud.
Budget : 83 900 €.
Leur meilleur souvenir : « L'accueil des gens aux îles Vanuatu. »
Leur plus mauvais souvenir : « Le début du séjour en Australie où personne ne nous adressait la parole. »

Famille Marais

Annie, 45 ans ; Stéphane, 45 ans ; leurs enfants : Louise, 12 ans, Lola, 10 ans, et Léo, 7 ans.
Moyen de transport : un camping-car durant quatre ans.
Itinéraire : Europe, Asie, Amérique, Afrique.
Budget : 60 150 €.
Leur meilleur souvenir : « La rencontre avec une famille québécoise qui nous a accueillis comme de véritables amis. »
Leur plus mauvais souvenir : « La mort de notre chienne Démi en Tanzanie. »

1. **Pourquoi ces familles ont-elles voulu vivre cette expérience ?**
2. **Par quoi l'école a-t-elle été remplacée ?**
3. **Quand faut-il commencer les préparatifs d'un long voyage ?**
4. **Est-ce que tout le monde a la même envie de repartir ?**
5. **Que pensez-vous de ce genre d'expérience ?**

Si vous voulez en savoir plus, visitez les sites : www.periple.fr.st et www.tourdumonde.net

Atelier d'écriture

DEMANDE DE RENSEIGNEMENTS À UN OFFICE DE TOURISME

Coordonnées de l'expéditeur
Pascale Mercier
14 Rue de la Jonquière
75014 Paris

Date et lieu
Paris, le 5 avril 2006

Coordonnées du destinataire
Comité régional du Tourisme
1, rue Raoul Ponchon
35069 RENNES CEDEX

Objet de la lettre ▶ Demande de renseignements

Formule d'appel ▶ Madame, Monsieur,

Objet de la lettre

J'aimerais passer des vacances en Bretagne avec des amis au mois de juillet et je vous écris pour vous demander quelques renseignements.

Nous aimons beaucoup le sport et la nature et nous voudrions préparer notre séjour à l'avance. Est-ce que vous pourriez nous envoyer des brochures sur votre région avec toutes les possibilités de sports d'aventure, d'excursions et de loisirs ?

Il nous faudrait également des renseignements sur les différentes formules d'hébergement : liste des hôtels, auberges, pensions de famille, chambres chez l'habitant, terrains de camping, sites de tourisme vert...

Formule de politesse finale

Dans l'attente de votre réponse, je vous prie d'agréer, Madame, Monsieur, mes salutations distinguées.

Pascale Mercier

1. **Lisez la lettre précédente.** Que savez-vous de la personne qui écrit ? À qui s'adresse-t-elle ? Quelles formules utilise-t-elle pour demander des renseignements ? Comment demanderait-on les mêmes choses à un(e) ami(e) ?

À vos plumes !

2. **Écrivez une lettre semblable au syndicat d'initiative d'une région que vous aimeriez visiter.**

PROJET Voyages de rêve...

Imaginez : vous avez enfin réalisé un de vos rêves..., faire le tour du monde avec des amis ! Vous avez vécu un tas d'aventures que vous avez envie de raconter à vos camarades.

- **Préparez le récit de ce voyage en petits groupes.**

Quelle a été la durée de votre voyage ?
Quel itinéraire avez-vous suivi ? (Chaque membre de l'expédition propose une destination qui doit être acceptée par les autres.)
Quel(s) moyen(s) de transport avez-vous utilisé(s) ?
Combien de kilomètres avez-vous parcourus ?
Qu'avez-vous mis dans vos bagages ?
Qu'est-ce que vous avez jugé indispensable d'emporter ?
Qu'est-ce que vous avez oublié de prendre ?
Quels souvenirs avez-vous rapportés ?
Quels sont les pays, les monuments, les paysages que vous avez le plus aimés ?
Quel est votre meilleur souvenir ? le pire ?
Qu'est-ce qui a été dur à vivre ?

- **Vous revenez de votre fabuleux voyage et vous êtes interviewés par vos camarades.**

Répondez à leurs questions, montrez-leur votre itinéraire, des photos, des documents divers, etc.

- **Exposez votre itinéraire, accompagné du récit de votre voyage et de « vos » photos.**

- **Évaluez !**

Quel est le voyage le mieux documenté ?
Quel groupe a le mieux réussi à vous emmener dans son incroyable voyage ?
Quel groupe a vécu le plus d'aventures ?

TEST DE COMPRÉHENSION ORALE !!!

Comment ça marche ?

Cahier d'exercices, page 28

ÊTES-VOUS CAPABLE DE...?

Dernièrement, vous avez remarqué que votre mère était un peu stressée et fatiguée. Vous décidez de lui faire une belle surprise.

POUR MIEUX S'AUTO-ÉVALUER

Identifier ou reconnaître ses points forts et ses lacunes permet de mieux orienter son apprentissage et d'être plus efficace

DIRE DE FAIRE OU DE NE PAS FAIRE QUELQUE CHOSE

 oui  non (Voir Livre, p. 16, 17)

1 **Vous cherchez de l'aide pour organiser cette surprise. Demandez aux amis, à la famille...**
1) **de vous donner des idées.**
2) **de vous aider.**
3) **de ne rien dire à votre mère.**
4) **de ne pas vous parler de ça devant elle.**
5) **de ne pas vous téléphoner à l'heure des repas.**

Score / 5

VOUS RENSEIGNER SUR UN TRAJET EN TRAIN

 oui  non (Voir Livre, p. 16, 17)

3 **Vous pensez qu'un voyage à Strasbourg où habite sa sœur lui plairait beaucoup. Vous allez téléphoner à la SNCF pour vous informer : horaires, prix, tarifs week-end, couchettes, correspondances... Vous faites la réservation d'une place, en 2e classe, aller et retour (bien sûr !). Jouez la scéne.**

Score / 10

DÉSIGNER LES MEMBRES D'UNE FAMILLE

 oui  non (Voir Livre, p. 18, 19)

2 **D'abord, vous avez décidé d'organiser en secret un repas avec la famille. Faites une liste de douze invités en spécifiant quel est leur lien de parenté avec votre mère.**

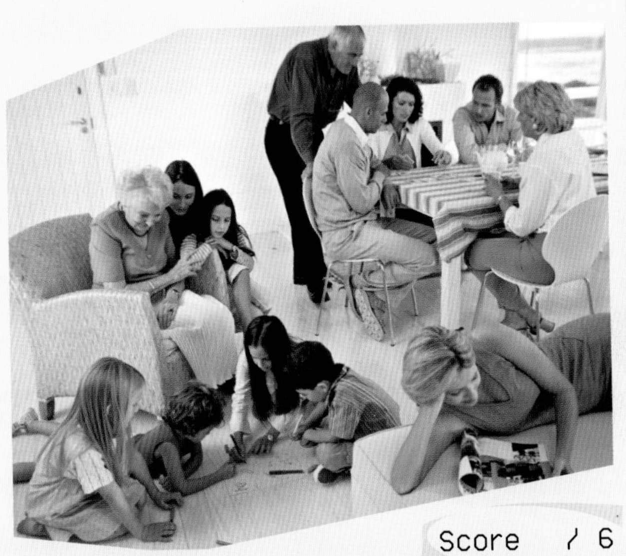

Score / 6

DÉSIGNER DES OBJETS GRÂCE À LEURS CARACTÉRISTIQUES

 oui  non (Voir Livre, p. 20, 21)

4 **Quel bouquet va lui plaire le plus ? Lequel préférez-vous ? Justifiez votre choix.**

Score / 9

Score total / 30

ÉCOUTER

Durée : 30 minutes

Écoutez le dialogue et répondez : qui parle ? où ? pourquoi ?
Testez votre compréhension dans le Cahier d'exercices (page 30, exercices 1 et 2).

LIRE

Durée : 30 minutes

Lisez ce texte. Qu'est-ce que nous savons sur Nicole ? (profession, aspect physique, goûts, qualités, attitudes...). Testez votre compréhension dans le Cahier d'exercices (page 31, exercices 3 et 4).

Heureusement, il y a la prof de musique, c'est une femme formidable, d'ailleurs tout le monde la trouve bien. [...] Elle est drôlement belle, elle a des cheveux noirs très longs sur les épaules et elle s'habille pas comme une vieille dame mais elle s'habille pas non plus pour avoir l'air jeune à la mode. Elle s'appelle Nicole [...]. Elle a été prof pendant trois ans à La Réunion et maintenant elle est revenue à Paris mais elle dit souvent qu'elle veut repartir pour les Îles [...] et que vivre à Paris ne l'amuse pas. Elle nous parle de ces choses-là pendant les cours, entre deux exercices de solfège ou bien quand on apprend à jouer de la flûte, elle s'arrête et on bavarde, c'est drôlement sympa [...]. Elle nous écoute, elle. [...] Elle nous dit des trucs :

« Ça vous plaît, vous, la vie dans une grande ville ? »

Tout le monde répond que non. Tout le monde voudrait vivre ailleurs. À la campagne ou à l'étranger ou partir avec Nicole dans les Îles. Moi, je leur raconte que je veux être fermière en Amérique, aux États-Unis [...].

Nicole, elle dit souvent : « C'est le gris qui tue. »

Ça, ça me scie, comme phrase. Le gris qui tue. C'est une poétesse, cette femme.

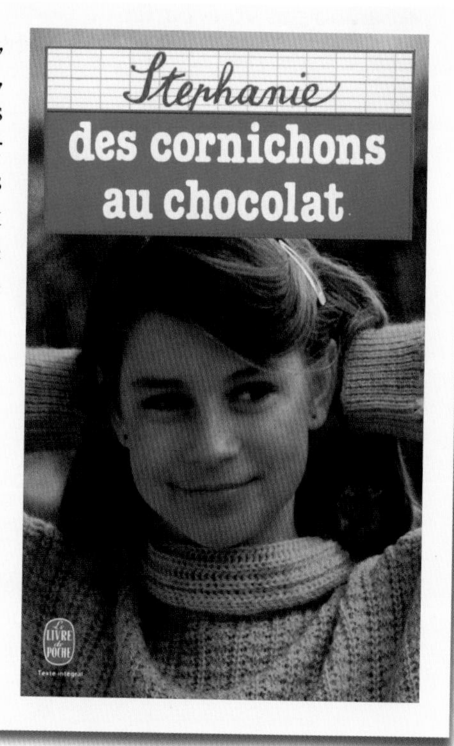

Des cornichons au chocolat. Stéphanie © Éditions Jean-Claude Lattès, 1983

ÉCRIRE

Durée : 45 minutes – 90-100 mots

Vous voulez passer des vacances en famille dans le gîte rural d'Annie et de Georges Pauc, *Le Chaudoudoux*. Vous voudriez connaître les prix en demi-pension et savoir s'il y a des tarifs spéciaux pour enfants. Voici les dates qui vous intéressent : du 22 décembre au 1er janvier. Rédigez la lettre de demande de renseignements.

PARLER

1.PRENDRE PART À UNE CONVERSATION

Durée : 3-5 minutes

En tandem. Vous voulez faire un cadeau à un(e) ami(e). Vous choisissez avec un(e) ami(e) commun(e) le cadeau qui lui convient le mieux.

2.S'EXPRIMER EN CONTINU / ENTRETIEN DIRIGÉ

Durée : 2-3 minutes

Individuellement. a) Choisissez un des sujets suivants et développez-le. **b)** Répondez aux questions de votre professeur sur un de ces sujets.

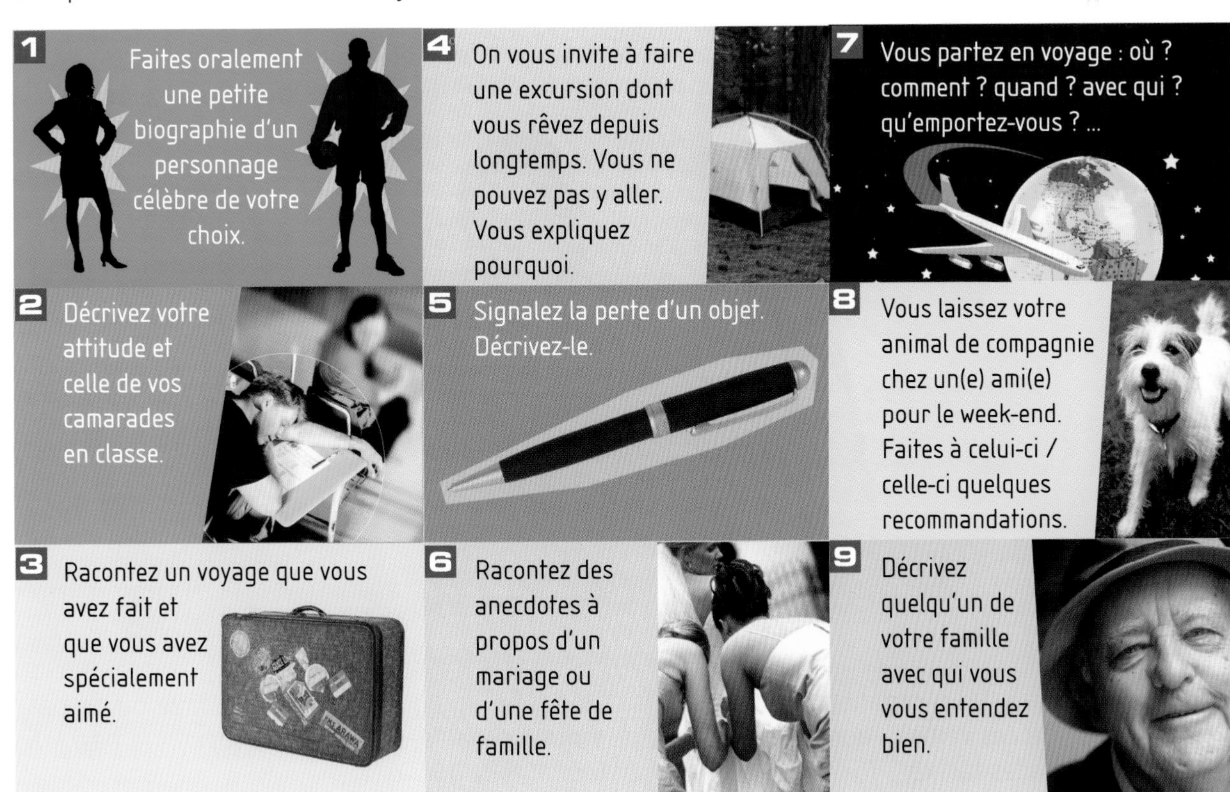

- Organiser les préparatifs d'une fête
- Exprimer l'obligation, le souhait
- Faire des appréciations

Soirée interculturelle

Des jeunes venus des quatre coins de l'Europe passent quinze jours dans un centre international de vacances, en Belgique. Leur objectif : perfectionner leur français et connaître d'autres gens, d'autres cultures.
Pour briser la glace, on a prévu une soirée interculturelle.

SOIRÉE INTERCULTURELLE

SAMEDI 25 JUILLET

Vous avez envie de faire connaître la musique, les danses et la cuisine de votre pays ? Vous aimeriez rencontrer des gens d'autres cultures ?

N'hésitez pas !!! Venez à la soirée interculturelle qui aura lieu le samedi 25 juillet à partir de 21 heures !!!

Pour participer, vous avez le choix ! Vous pouvez :

- Préparer un plat typique de votre pays
- Apporter des boissons non alcoolisées
- Interpréter une chanson bien de chez vous, en version originale, jouer d'un instrument ou
- Exécuter quelques pas de danse (traditionnelle ou pas !!! Le Hip Hop, le rap ou le reggae sont aussi les bienvenus !!!)

Apportez aussi de la musique de votre pays qui donne envie de danser !

Pour tout renseignement, contactez le secrétariat.

1 Lisez cette affiche.

1) Résumez les informations essentielles : qui ? quoi ? quand ? où ? comment ? pourquoi ?

2) Que faut-il que les jeunes fassent pour participer ?

Avant la fête

2 Écoutez ce dialogue.

1) De quelle nationalité sont ces jeunes ?

2) Que propose Francesco à ses copines ? Sont-elles d'accord ?

Vu que je suis italien, il faut que je prépare une pizza ou des spaghettis !

C'est comme vous, vous n'avez pas le choix, il faut que vous dansiez le flamenco !!!

Il faut que vous leviez les bras... et que vous tapiez des pieds très fort... et surtout que vous preniez un air tragique...

3 Oral en tandem. Vous organisez les préparatifs d'une fête : indiquez ce qu'il faut faire ou ne pas faire à l'aide de ces verbes : *apporter, préparer, distribuer, organiser, acheter, nettoyer, (ne pas) jeter...* Distribuez-vous les tâches : *Toi, il faut que tu... et moi, il faut que je...*

Après la fête

4 **Écoutez le dialogue et observez les photos.** De quelles activités ces jeunes parlent-ils ? Attention aux photos ! Il y a des intrus.

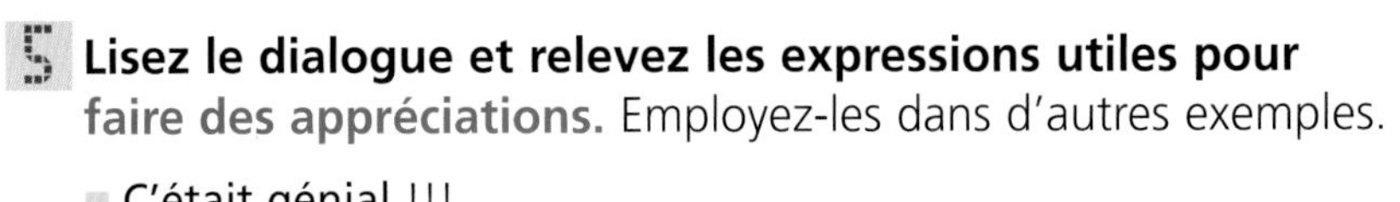

5 **Lisez le dialogue et relevez les expressions utiles pour faire des appréciations.** Employez-les dans d'autres exemples.

- **C'était génial** !!!
- Ah ouais, **je me suis régalé** ! Tout était délicieux ! **Et qu'est-ce que j'ai ri** avec le groupe qui chantait la chanson bretonne !
- Moi, j'ai trouvé ça nul, je n'ai pas du tout aimé !!!
- Et la chorale tchèque ?! **Ça m'a plu** !!! C'était émouvant !!!
- Oui, c'est dommage qu'on ne comprenait pas les paroles…
- Et la tarte flambée de Marion, vous l'avez goûtée ?
- Ah, **j'ai adoré** ! J'aimerais bien qu'elle me donne la recette.
- C'est une recette alsacienne !
- Moi, **ce qui m'a plu le plus,** c'est la danse du ventre.
- Elles étaient géniales ! On aurait dit des vraies danseuses !
- C'est normal qu'elles dansent bien… elles sont d'origine tunisienne.
- Ah bon ? Nadia peut-être, mais Aurélia, elle est 100 % belge et elles ont dansé aussi bien l'une que l'autre, vous ne trouvez pas ?
- Moi, je voudrais bien qu'elles m'apprennent ! Mais ça a l'air très difficile ! Et le numéro de flamenco, **ça ne vous a pas plu** ?
- Oh si ! **je me suis bien défoulé** en tapant des pieds !

Écoutez, observez, analysez

LE PRÉSENT DU SUBJONCTIF (1)

Verbes du 1er groupe :

Il faut…
que je danse
que tu danses
qu'il / elle / on danse
que nous dansions
que vous dansiez
qu'ils / elles dansent

Quelques emplois :

1) L'obligation :
Il faut que…
Il faudrait que…

2) Le souhait :
J'aimerais (bien) que…
Je voudrais (bien) que…

A **Écoutez et observez le présent du subjonctif du verbe *danser*. À quel temps de l'indicatif vous font penser les personnes qui se prononcent de la même manière ? Et les deux autres personnes ?**

B **Entraînez-vous à conjuguer d'autres verbes du 1er groupe au subjonctif.**

C **Levez la main quand vous entendez une phrase au subjonctif.**

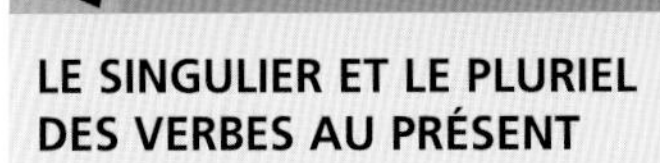

LE SINGULIER ET LE PLURIEL DES VERBES AU PRÉSENT

[ilpaʀ] s'écrit Il part ? ou Ils partent ?

Écoutez et distinguez le singulier du pluriel dans les paires de verbes que vous entendez. Ensuite, écrivez-les et relisez-les à haute voix. Attention ! Il peut y avoir un ou plusieurs changements sonores.

- Obtenir des informations pratiques dans une auberge de jeunesse
- Indiquer ce qui est permis ou interdit

Bienvenue à l'auberge de jeunesse

Aurélia et Claire parcourent l'Europe avec une carte Inter Rail. Elles passent cette nuit à l'auberge de jeunesse de Strasbourg.

1 Écoutez cette conversation.

1) Quelles recommandations leur fait l'employé ? pourquoi ?
2) Que faut-il que Claire et Aurélia fassent si elles sortent ? pourquoi ?
3) Que pensaient-elles faire à leur arrivée à l'auberge ? pourquoi ?
4) Finalement, qu'est-ce qu'elles vont faire ? pourquoi ?

Écoutez, observez, analysez

LE PRÉSENT DU SUBJONCTIF (2)
La forme :

A Quelle personne du présent de l'indicatif sert à former le présent du subjonctif ? Quelles sont les deux personnes qui ne suivent pas ce modèle ?

que je vienn**e**	que nous ven**ions**
que tu vienn**es**	que vous ven**iez**
qu'il / elle / on vienn**e**	qu'ils / elles vienn**ent**

B Déduisez le présent du subjonctif des verbes *boire, dire, finir, prendre* et *sortir.*

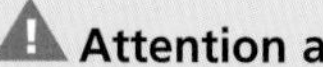

Attention aux verbes irréguliers !
avoir : que j'aie, que nous ayons, qu'ils / elles aient...
être : que je sois, que nous soyons, qu'ils / elles soient...
aller : que j'aill**e**, que nous all**ions**, qu'ils / elles aill**ent**...
faire : que je fasse, que nous fassions, qu'ils / elles fassent...
vouloir : que je veuill**e**, que nous voul**ions**, qu'ils / elles veuill**ent**...
pouvoir : que je puiss**e**, que nous puiss**ions**, qu'ils / elles puiss**ent**...
savoir : que je sach**e**, que nous sach**ions**, qu'ils / elles sach**ent**...

D'autres emplois :

1) Conseiller :
Il vaut mieux que vous ayez les clés.
Il est préférable que vous rentriez.
2) Exprimer un sentiment :
Je suis content que vous soyez arrivées !
Je suis triste qu'elle parte avec vous.
3) Exprimer un doute :
Je ne crois pas qu'il vienne.
Je ne pense pas qu'il soit là.

Attention !
***J'espère, je crois, je pense, je sais que* se conjuguent avec l'indicatif.**
J'espère que vous viendrez.
Je crois qu'il est trop tard.
Je pense que tu y arriveras.
Je sais que je n'écoute jamais.

C Écoutez et terminez les phrases suivantes en utilisant l'indicatif ou le subjonctif.

2 Lisez le règlement de l'auberge de jeunesse.

1) Quelles règles n'ont pas été mentionnées par l'employé ?

2) Êtes-vous d'accord avec ce règlement ? Qu'est-ce qui vous surprend le plus ?

Auberge de jeunesse René Cassin

Certaines règles sont nécessaires pour vivre en communauté et rendre le séjour de chacun le plus agréable possible... Voici donc le règlement intérieur !

Règles de vie dans les chambres :

- L'accès aux chambres n'est pas autorisé entre 10 h et 12 h. Attention, les portes des chambres se referment automatiquement, gardez les clés sur vous. Toute clé perdue sera facturée 3 €.
- Les draps vous sont fournis mais pas les serviettes de toilette ! Pensez à en emporter.
- Il est interdit de FUMER, de MANGER ou de BOIRE dans les chambres (toute boisson alcoolisée trouvée dans les chambres sera automatiquement confisquée).
- Il est défendu de consommer de la drogue sous peine de renvoi immédiat ou d'exclusion définitive du réseau des auberges de jeunesse. Toute détérioration du matériel sera facturée.
- Après 23 h, le calme est obligatoire afin de permettre à chacun de dormir. Les personnes qui veulent veiller davantage peuvent se rendre au bar (ouvert jusqu'à 1 h du matin). À la fermeture du bar, veuillez regagner votre chambre dans le calme.

Sécurité :

- L'auberge ferme ses portes à 1 h du matin. Un veilleur de nuit est présent toute la nuit (à l'accueil ou en ronde).
- Pour éviter tout problème de vol, nous vous invitons à être prudent.
- Ne laissez entrer personne dans votre chambre (en dehors des personnes logées avec vous).
- Fermez toujours la porte de votre chambre !
- Ne laissez ni argent ni objets de valeur dans votre chambre ! L'auberge décline toute responsabilité en cas de vol.

Le jour du départ :

- Les chambres doivent être libérées pour 10 h. Veuillez déposer vos draps et taies d'oreillers dans la salle de jeux, à l'endroit prévu à cet effet.
- N'oubliez pas de rendre les clés au moment de votre départ.

Merci pour votre coopération !
http://renecassin.free.fr/portail

3 Le règlement dans votre lycée. Qu'est-ce qui est obligatoire ? Qu'est-ce qui est interdit ? D'après vous, qu'est-ce qui est juste ? injuste ? Faites une liste.

4 Oral en tandem. Vous êtes invité(e) à... chez les... Avant d'y aller, quelqu'un vous prévient de leurs petites manies et vous fait des recommandations.
Exemple : Il est interdit de..., il vaut mieux que...
Préparez le dialogue.

- Indiquer les petits gestes qui aident à sauvegarder l'environnement
- Donner des informations complémentaires

Elle est petite, elle est souffrante...

Tout le monde sait que la Terre est ronde, mais peu de gens comprennent que la Terre est petite... et fragile, et qu'elle n'est plus capable d'absorber à elle seule notre production massive de gaz CO_2.
À l'aide de ce test, demandons-nous quelles sont les conséquences de nos activités sur la planète, et cherchons la manière de freiner le réchauffement global dont les effets peuvent être catastrophiques.
Nous sommes nombreux. Beaucoup de petits gestes, ça fera une grande différence.

1 En ce qui concerne l'habillement, vous êtes plutôt du genre...
- Toujours à la mode, j'adore acheter des vêtements.
- J'achète juste le nécessaire, en début ou en fin de saison.
- Je m'habille dans les friperies ou je profite des vêtements qu'on me passe.

2 Vous prenez...
- Un grand bain tous les soirs.
- Une douche rapide (3 minutes) par jour.
- Une longue douche bien chaude.

3 Généralement, comment allez-vous au lycée ?
- À pied ou en vélo.
- En voiture ou en scooter.
- En bus ou en métro.

4 Combien d'appareils électriques branchez-vous chaque jour ?
- Radio, sèche-cheveux, ordinateur, télé, jeux vidéo.
- Pas plus de trois appareils.
- Ça dépend des jours, mais je peux m'en passer sans problème.

5 En hiver, lorsque vous restez à la maison, vous êtes...
- Souvent en pull.
- Toujours en pull.
- Toujours en t-shirt parce que j'aime le chauffage assez fort.

6 Est-ce que vous triez vos déchets ?
- Oui, le verre, le papier et les emballages.
- Je les trie, mais j'essaie surtout de les réduire.
- Non, je jette tout dans la poubelle. J'ai autre chose à faire !

7 Pendant ce dernier mois, vous avez occupé une partie de votre temps libre...
- À réparer ou à récupérer des objets.
- À faire les boutiques.
- À organiser vos affaires et à ranger vos armoires.

8 Que mangez-vous le plus souvent ?
- Des plats « faits maison ».
- Des conserves, des surgelés, des plats préparés.
- Des aliments bio.

9 Avec vos repas, vous buvez...
- De l'eau du robinet.
- De l'eau minérale.
- Une boisson fraîche (avec des glaçons).

LES 4 R POUR FAIRE MAIGRIR NOS POUBELLES :

Réduire nos déchets.
Réparer et **R**éutiliser les objets.
Recycler.

Des gestes dont nous sommes capables.

1 Répondez à ce questionnaire individuellement et puis en groupe.
Si vous ne trouvez pas la réponse qui correspond exactement à votre cas, choisissez celle qui est la plus proche. Quel est votre profil ? et celui de votre classe ?

Il faut qu'on s'en occupe !

Majorité de 

Quel gaspillage d'énergie ! Si tout le monde faisait comme vous, il faudrait plusieurs planètes pour absorber vos émissions de gaz. S'il vous plaît, débranchez vos appareils, arrêtez vos moteurs et pensez un peu à votre avenir et à ceux qui viendront après vous.

Majorité de 

Il vous faut modifier certaines habitudes si vous voulez contribuer à réduire les émissions de gaz à effet de serre. Il s'agit seulement de petits gestes qui serviront à éviter des catastrophes.

Majorité de 

Vous êtes capable d'économiser de l'énergie sans pour cela renoncer à vivre. Vous respectez l'environnement, vous aimez la nature. Elle vous fait du bien. Merci au nom de la planète !

Observez et analysez

LE PRONOM RELATIF *DONT*

A Observez les phrases ci-dessous.

Nous avons besoin d'eau.
Cette eau dont nous avons besoin…

La fraîcheur de l'eau me fait du bien.
L'eau dont la fraîcheur me fait du bien…

J'admire la force de l'eau.
L'eau dont j'admire la force…

B Relevez dans la page précédente les phrases qui contiennent *dont*. Quels mots remplacent *dont* dans chaque cas ? Quelle préposition précède toujours ce mot ?

C Connaissez-vous d'autres pronoms relatifs ? Donnez des exemples.

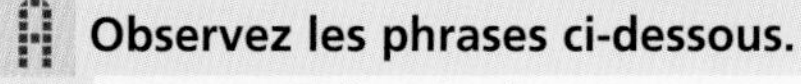

POUR MIEUX CHERCHER DANS LE DICTIONNAIRE

Choisissez un dictionnaire français monolingue car, en plus de la définition, il vous donnera des informations précises sur le mot : prononciation, genre, particularités, synonymes, antonymes, exemples, etc.

2 Continuez sur ce modèle avec la terre, l'air, l'énergie…

L'eau
Qui coule
Que nous buvons
Où nous plongeons
Que nous aimons
Dont nous avons besoin

3  **Écoutez et scandez.**

L'eau !
L'eau est là !
L'eau qu'on boit,
C'est la joie !

L'eau,
L'eau est là !
L'eau qui danse,
C'est la chance !

L'eau,
L'eau est là !
L'eau qui rit,
C'est la vie !

Kirikou et la sorcière. Michel Ocelot

DOC LECTURE : *L'école en Europe*

Les jeunes Européens ont beaucoup de choses en commun. Ils ont souvent les mêmes goûts en matière de musique, de mode… Ils partagent aussi une manière de voir la vie. Partout en Europe, on encourage les échanges entre eux pour renforcer ces liens et développer une conscience communautaire.
Cependant, au niveau des systèmes éducatifs le rapprochement est plus difficile !

Actuellement, en Europe, il existe quatre modèles différents de systèmes scolaires.

Dans le nord, on finit par se connaître !

Dans les pays scandinaves (Suède, Norvège, Islande, Danemark, Finlande), tous les élèves, de 7 à 16 ans, vont dans la même école (*la Folkeskole*), dans le même groupe-classe, ils ont le même professeur principal, mais des enseignants différents dès le primaire. Le redoublement est inconnu, et 95 % des élèves obtiennent un diplôme en dernière année.

En Grande-Bretagne, porter un uniforme, c'est une tradition.

« British selection »

Les Anglo-Saxons, comme les Scandinaves, privilégient l'acquisition de l'autonomie à celle des connaissances. Ils auront tendance à mettre en avant les progrès des élèves indépendamment de leur niveau initial.
En Grande-Bretagne, 10 % des élèves sont scolarisés dans des *Grammar Schools* (établissements privés et sélectifs).

En Lituanie, le chant est une matière obligatoire.

Le type germanique

En Allemagne, en Autriche, en Suisse, aux Pays-Bas et au Luxembourg, les élèves ont le choix très tôt entre trois filières : *le Gymnasium* (30 % des élèves), menant à des études universitaires, *la Realschule*, menant à des études supérieures non universitaires et *les Hauptschulen*, formation professionnelle courte. Il faut noter toutefois que l'image sociale des élèves provenant de cette dernière filière y est bien meilleure que dans les pays latins.

Dans les pays latins, on privilégie l'acquisition des connaissances.

La note latine

En France, en Italie, en Espagne, au Portugal, en Grèce, on privilégie l'acquisition des savoirs et des connaissances : ainsi, les examens et les notes ont une part plus importante que dans les autres systèmes. Les élèves en difficulté ont la possibilité de redoubler.

Adapté de Cordula Foerster (2000). *Étude comparée des systèmes éducatifs européens : approche pédagogique, enjeux communs et particularités.* Actes du colloque « Les systèmes éducatifs en Europe : approche juridique et financière », Barcelone.
Adapté de Philippe Dessus. *Aperçu des systèmes éducatifs européens,* IUFM et Laboratoire des sciences de l'éducation, Grenoble, France
http://web.upmf-grenoble.fr/sciedu/pdessus/sapea/euroeduc.html

- Un Européen passe en moyenne 7 000 heures de sa vie sur les bancs de l'école.
- 45 % des lycéens européens font des études supérieures.
- 1 million d'étudiants ont déjà participé au programme Erasmus.
- 15 %, c'est la proportion des cours consacrés aux maths dans presque toute l'Europe.

Lisez les textes ci-contre.

1 **Qu'est-ce qui vous surprend le plus ?**

2 **D'après vous, quels sont les avantages et les inconvénients de chaque système ?**

3 **Qu'aimeriez-vous conserver ou changer du système scolaire de votre pays ?**

4 **Connaissez-vous quelqu'un qui fait ses études dans un autre pays ?**

5 **Aimeriez-vous finir vos études dans un autre pays ? Lequel ?**

LE SYSTÈME SCOLAIRE FRANÇAIS

École maternelle	(3-6 ans)
École primaire	(6-11 ans)
Collège	
6e	(11-12 ans)
5e	(12-13 ans)
4e	(13-14 ans)
3e	(14-15 ans)
Lycée	
2de	(15-16 ans)
1ère	(16-17 ans)
Terminale	(17-18 ans)

Comparez avec le système scolaire de votre pays.

Atelier d'écriture
Poésie

IL S'EN PASSE DES CHOSES, DANS MA CITÉ

Il s'en passe des choses, dans *ma cité.* Il n'y a qu'à
Regarder. Moi, un jour, j'ai dit : « J'arrête, je regarde. »
J'ai posé par terre mes deux sacs. Je me suis assis. J'ai regardé

Les *gens venaient*
Les *gens marchaient*
Les *gens passaient*
Les *gens tournaient*
Les *gens filaient*
Les *gens glissaient*
Les *gens dansaient*
Gesticulaient
Les *gens criaient*
Les *gens riaient*
Les *gens pleuraient*
Disparaissaient

Il s'en passe des choses, dans *ma cité.* Il n'y a qu'à
Regarder. On voit de tout, on peut tout voir. Mais ce qu'on ne
Voit jamais dans *ma cité,*
C'est *un regard. Un regard* qui vous *regarde* et qui *s'attarde.*
...

Guy Fossy, in Jacques Charpentreau, *La ville des poètes*
Collection « Fleurs d'encre ». © Hachette Jeunesse

1 **Lisez cette poésie.** Combien de strophes y a-t-il ? Quelle est l'idée principale de chacune de ces strophes ?

2 **Y a-t-il des répétitions de phrases, de mots ou de structures ?** Quel est l'effet produit dans chacun des cas ?

3 **Associez chacun de ces mots à une strophe : *vitesse, absence de communication, interruption, action, observation.***

À vos plumes !

4 **À la manière de Guy Fossy, faites une description poétique d'un endroit qui vous est familier.**
Par exemple : votre classe, votre rue, votre appartement, votre chambre... Reproduisez la même structure que le poème ci-dessus en changeant les mots en italique.

PROJET Chercheurs sur Internet

En groupe, choisissez un pays de l'Union Européenne pour le présenter au reste de la classe.

- Cherchez les informations nécessaires sur Internet.

  Quelles sont les limites de ce pays au nord, au sud, à l'est, à l'ouest ?
  Quelle est sa superficie ?
  Combien d'habitants y a-t-il ?
  Quelle est sa capitale ?
  Quelles sont ses villes principales ?
  Quelle est sa monnaie ?
  Quelle(s) langue(s) y parle-t-on ?
  Quelles sont les couleurs de son drapeau ?
  Quel est son régime politique ?
  Depuis quand appartient-il à l'Union Européenne ?

- Dessinez la carte de ce pays et cherchez des photos.

- Parlez des aspects de ce pays qui vous ont semblé particulièrement intéressants : son histoire, sa géographie, quelques personnages célèbres, sa gastronomie…

- Présentez le résultat de vos recherches au reste de la classe et préparez une grande exposition sur l'UE. Illustrez-la avec les photos.

TEST DE COMPRÉHENSION ORALE !!!

Conseils

Cahier d'exercices, page 42

ÊTES-VOUS CAPABLE DE...?

POUR MIEUX APPRENDRE DE SES ERREURS
Voir Cahier personnel, page 13

Un week-end pas comme les autres...

Vos parents sont partis ce week-end et vous ont enfin donné la permission d'inviter des copains en leur absence.

FAIRE DES RECOMMANDATIONS ET INTERDIRE

oui non (Voir Livre, p. 28, 29, 30, 31)

1 **Vous savez que votre mère a des « petites manies » en ce qui concerne les meubles et les objets du salon. Vous faites quelques recommandations à vos amis en pensant surtout au vase rose, au tapis, à la tapisserie et aux bibelots de l'étagère.**

Score / 5

EXPRIMER L'OBLIGATION ET FAIRE DES RECOMMANDATIONS

oui non (Voir Livre, p. 28, 29, 30, 31)

2 **Avant le retour de vos parents, il faudra tout remettre à sa place, cela fait partie de votre négociation ! Annoncez à vos copains les tâches à exécuter : ranger le salon, balayer, nettoyer la cuisine, jeter les ordures...**

Score / 5

FAIRE DES APPRÉCIATIONS AU PASSÉ

oui non (Voir Livre, p. 28, 29)

3 **Vous avez regardé des vidéo-clips de vos groupes et vos chanteurs préférés. Rapportez vos impressions et vos appréciations avec enthousiasme (au moins cinq commentaires positifs).**

Score / 5

EMPLOYER LE SUBJONCTIF

oui non (Voir Livre, p. 29, 30)

4 **Vous vous êtes fâché(e) avec un de vos copains qui a fait un commentaire malheureux sur vous... Vous lui téléphonez pour vous réconcilier. Prenez la parole et remplacez les « bla, bla, bla ».**

J'aimerais bien... bla, bla, bla.
Il ne faut pas que... / Il faut que... bla, bla, bla.
Je suis très heureux / euse que... bla, bla, bla.
Il n'est pas question que... bla, bla, bla.
Il vaut mieux que... bla, bla, bla.

Score / 10

Score total / 25

- Manifester son opinion sur des émissions de télé
- Argumenter
- Indiquer la possession

Je zappe, tu zappes, on zappe !

1 Qu'est-ce qu'il y a ce soir à la télé ? Consultez ce programme et proposez trois émissions par ordre de préférence.

Chaîne	Émission	Heure
TF1	Vacances mortelles (téléfilm)	20.50
TF1	Les sept péchés capitaux (film)	22.35
France 2	Journal	20.00
France 2	FBI : Portés disparus (1) (série)	21.00
France 2	Ça se discute (débat)	22.30
France 3	Questions pour un champion (jeu)	20.50
France 3	Plus belle la vie (feuilleton)	22.35
CANAL+	Une seconde (documentaire)	20.10
CANAL+	100 mn pour convaincre (magazine)	20.55
CANAL+	S.W.T.T. unité d'élite (film-V. O.)	23.00
	Championnat d'Europe dames (football)	19.30
	Le Magazine Olympique (magazine)	21.30
	Loft Story (téléréalité)	19.45
	Météo soir	21.30

L'opinion

POUR DONNER SON OPINION

Expressions

À mon avis, / D'après moi, / Selon moi, / Pour moi, il ne viendra pas.

- **Forme affirmative → indicatif**
  Je pense que tu as raison.
  Je crois que c'est mauvais.
- **Forme négative → subjonctif**
  Je ne pense pas qu'il soit là.
  Je ne crois pas qu'elle ait le temps.

POUR DONNER UN ARGUMENT CONTRAIRE

Tu choisis TV5 ; moi, par contre, je préfère La 2.
au contraire
en revanche

2 Petits conflits devant la télé. Écoutez la conversation entre Théo et sa mère. Sur quels points ne sont-ils pas d'accord ? Que font-ils finalement ?

3 Et chez vous, c'est pareil ? Qui est le / la plus accro à la télécommande ?

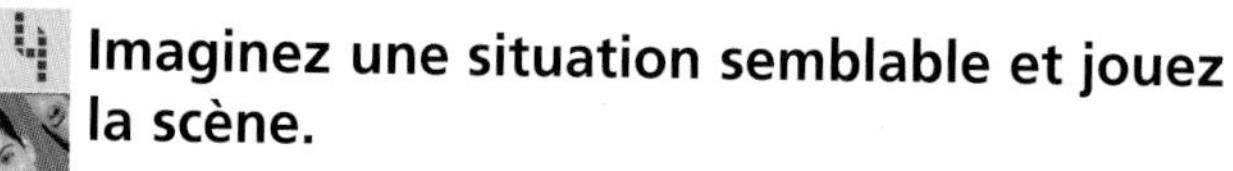

4 Imaginez une situation semblable et jouez la scène.

Loft History ou Loft Hystérie ?

5 **Écoutez.** En quoi consiste cette émission ?

6 **Quel est le problème entre les deux jeunes filles ?** Comment l'émission prévoit-elle de résoudre ce conflit ? Est-ce que tout le monde est d'accord ?

- … Tu m'as piqué mon jean !?
- Ton jean ? Mais pas du tout. C'est le mien ! […] Pourquoi ce serait le tien ?

- Parce que le mien, il a la poche de derrière décousue…

- Et pourquoi tu laisses toujours traîner tes affaires ? […] Il était sur ma chaise ce pantalon, pas sur la tienne…
- Écoute… je fais ce que je veux avec mes affaires, O.K. ?

7 **Kevin et Steve se sont détestés dès le premier jour.** Aujourd'hui, ils se disputent à propos d'un CD. Jouez la scène.

Voici quelques opinions sur la « téléréalité ». Ce qu'ils en pensent…

La Prod (production)

Les joueurs sont au courant du contrat. En fait, ils peuvent partir quand ils veulent. Autrement, les téléspectateurs sont libres de changer de chaîne ou d'éteindre la télé, à la limite !

Le psy

Je ne trouve pas que ce soit très éducatif comme jeu. Je dirais que c'est même pervers. Ils cherchent des candidats provocateurs mais qui, en revanche, sont profondément fragiles.

Un spectateur

Je trouve révoltant qu'on dépense notre argent à produire des émissions pareilles ! J'ai une proposition à faire : enfermer tous les directeurs de chaînes de télépoubelle pour qu'ils s'éliminent les uns les autres. Seul le dernier pourra garder son emploi. C'est pas une bonne idée, ça ?

Observez et analysez

LES PRONOMS POSSESSIFS

	un seul objet		plusieurs objets	
	masculin	féminin	masculin	féminin
je	le mien	la mienne	les miens	les miennes
tu	le tien	la tienne	les tiens	les tiennes
il / elle / on	le sien	la sienne	les siens	les siennes
nous	le nôtre	la nôtre	les nôtres	les nôtres
vous	le vôtre	la vôtre	les vôtres	les vôtres
ils / elles	le leur	la leur	les leurs	les leurs

Comparez avec votre langue.

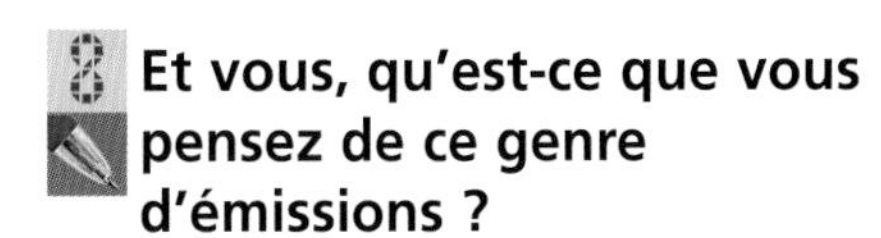

8 **Et vous, qu'est-ce que vous pensez de ce genre d'émissions ?**

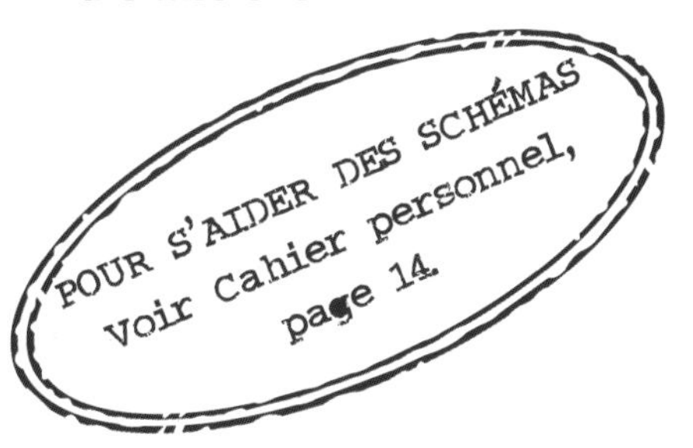

- Faire des prévisions sur le temps
- Raconter une expérience bouleversante

Quel temps fait-il ?

Voici les prévisions météorologiques du journal *Le Matin*.

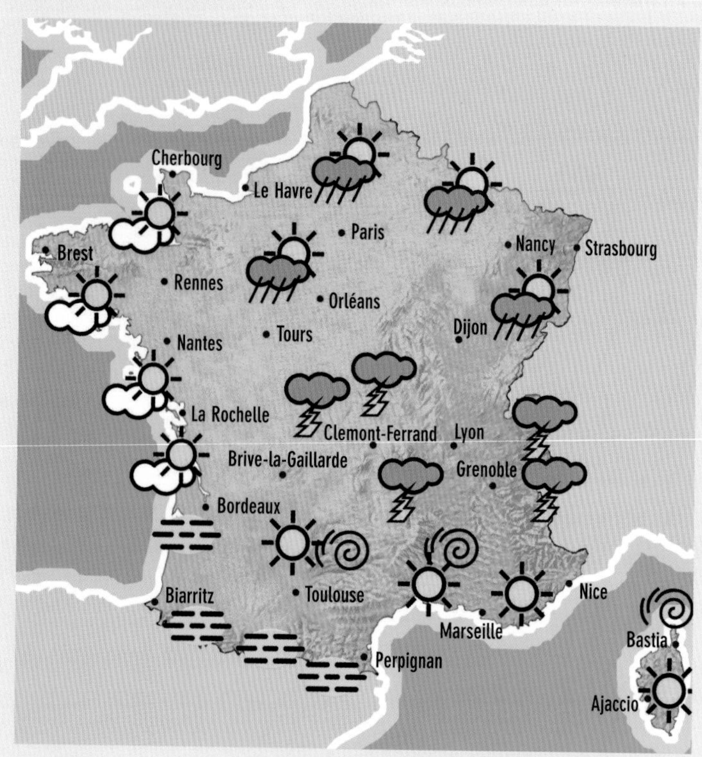

Un ciel couvert avec de belles éclaircies régnera toute la matinée sur l'ensemble de la côte atlantique. Un petit bain sera tout indiqué pour supporter la chaleur.
Dans le Sud-Ouest, des orages pourront éclater en fin de matinée sur le massif des Pyrénées.
Dans le Midi, sur la côte d'Azur et en Corse, la journée s'annonce ensoleillée et chaude. Attention quand même à vos parasols ! Le mistral soufflera fort dans la matinée. Dans les zones montagneuses, près des Alpes, quelques orages éclateront, provoqués par la forte chaleur.
Dans le Nord, près des frontières de l'Est et dans la région parisienne, le temps sera variable avec des averses. Par contre, au centre, il n'y aura pas de pluie mais un épais brouillard couvrira tout le Massif Central dans la matinée. Si vous prenez la voiture, la prudence s'impose !

soleil
éclaircies
nuageux

couvert

averses

bruines ou pluies

orages

brouillard

verglas

neige

vent

1 Observez la carte météorologique. Est-ce que vous retrouvez tous les symboles donnés à la fin du texte ?

2 Lisez ces prévisions pour la journée, puis observez attentivement la carte. Des symboles ont été échangés. Lesquels ?

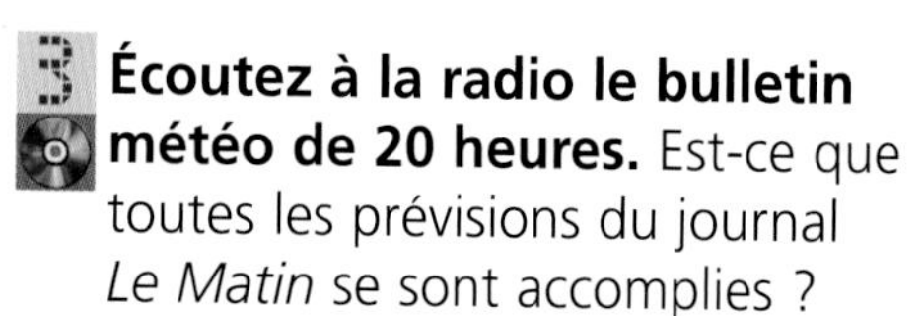

3 Écoutez à la radio le bulletin météo de 20 heures. Est-ce que toutes les prévisions du journal *Le Matin* se sont accomplies ?

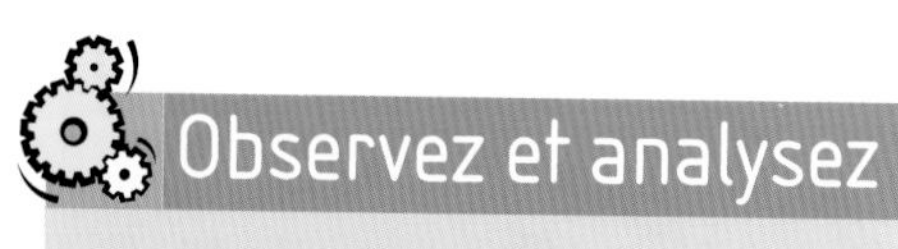

Observez et analysez

LE FUTUR (RÉVISION)

Relevez tous les verbes conjugués au futur. Cherchez leur infinitif.

4 Présentez la météo à l'aide d'une carte de France et de symboles du temps. N'oubliez pas d'imiter les gestes que font les présentateurs de ce genre d'émission !

5 Écoutez, chantez et continuez cette Chanson météo.

Tu es changeante comme le temps.
Dans ton cœur,
Il fait bon ou il fait du vent.
Mélancolique
Comme un jour pluvieux
Et gaie comme un soleil radieux.
Il y a de l'orage dans l'air,
Tes yeux verts lancent des éclairs.
Dans ta voix,
Il y a le tonnerre qui gronde.
Mon Dieu, mon Dieu
Tu fais peur à tout le monde !

J'ai survécu à un cyclone !

Voici le témoignage de Loïc, 20 ans.

C'était en 2002, le 29 mars exactement... J'habitais encore à Saint-Denis, dans l'île de la Réunion. On était en vacances. Il faisait un temps superbe. Tout se passait bien... j'étais à la plage avec des copains, je me rappelle... On n'était pas très contents parce qu'il n'y avait pas assez de vent pour faire du surf... (Si on avait su !) À côté de nous, une radio diffusait une musique horrible... Enfin, un jour de vacances tout à fait normal... Tout à coup, la musique s'est arrêtée et la radio a annoncé que notre île était en alerte nº 1.
Mais il faisait si beau que les gens ont pensé que c'était une fausse alerte et ils ont continué à se faire bronzer.
Hélas, ils se trompaient complètement !... Les animaux, qui ressentent les phénomènes naturels mieux que nous, eux, ils ont réagi tout de suite ! Le soir même, notre chatte s'est réfugiée dans le garage avec ses trois chatons et le lendemain, alors que la pluie commençait à tomber, mon père a eu la surprise de trouver sa voiture remplie de grosses araignées noires ! À la même heure, on a déclenché l'alerte nº 3.
Le cyclone s'est déchaîné sur l'île avec des pluies torrentielles et des vents de 250 km / h. Il y a eu d'énormes dégâts : des maisons sans toit, des voitures renversées... C'était horrible... Le lendemain, le temps est redevenu magnifique, comme si de rien n'était, et ma chatte est revenue à la maison avec ses petits.

6 Lisez ce récit et répondez aux questions.

1) Qu'est-ce qui s'est passé en mars 2002 ?
2) Où cela s'est-il passé ? Qui témoigne ?
3) Quelles ont été les différentes réactions des gens ? Et les conséquences ?

7 Écoutez et lisez à haute voix ce récit. Imitez le rythme et les intonations.

Imparfait ou passé composé ?

Observez les indicateurs temporels :

Tous les matins / Tous les jours, on mangeait des tartines beurrées.
D'habitude / En général, nous passions nos vacances à Lorient.
Autrefois / Avant / Il y a 100 ans, les femmes restaient à la maison.

Un matin / Hier / Cet hiver, on a eu très peur.
Tout à coup / Soudain, un orage a éclaté.

8 Quel a été le jour le plus terrible de votre vie ? Racontez.

Observez et analysez

LE RÉCIT D'UNE EXPÉRIENCE

- **On utilise l'imparfait pour...**
  a) faire des descriptions au passé.
  b) évoquer des habitudes ou des actions régulières.
  c) planter le décor ou présenter le cadre d'une situation.

- **On utilise le passé composé pour...**
  a) indiquer une succession de faits ou d'actions.
  b) raconter des faits uniques ou imprévus, survenus à un moment donné.

Justifiez dans le texte l'utilisation de l'imparfait et du passé composé.

- Préparer une interview
- Exprimer ses intentions et ses objectifs

Rencontre avec un footballeur amateur

Kamel a 18 ans. Il est footballeur à Marseille. Pour le moment, il est encore amateur mais il rêve de devenir professionnel. Meilleur buteur des moins de 18 ans à l'OM (Olympique de Marseille) : 21 buts en 32 matchs.

À quel âge as-tu commencé à jouer au foot ?
À l'âge de 8 ans dans le club de mon quartier.

À quel moment as-tu décidé d'en faire ton métier ?
À partir du moment où les recruteurs ont commencé à s'intéresser à moi. C'est là que je me suis dit que j'avais des possibilités d'y arriver.

Qu'as-tu ressenti le jour où tu es arrivé à la Commanderie* ?
Une grande fierté ! D'abord pour mon entourage, ma famille, mes amis des quartiers Nord, tous ceux qui m'ont soutenu, qui on cru en moi.

Tu joues des deux pieds, mais c'est naturel ou tu as dû travailler ?
Je suis droitier d'origine mais un bon footballeur se doit d'être adroit des deux pieds, j'ai donc travaillé mon pied gauche et aujourd'hui je joue des deux pieds.

Comment ça se passe pour les corners ? Tu vises un joueur ou tu tires dans le tas ?
C'est très rare que je tire des corners car je suis plutôt adroit de la tête.

Quel geste technique réussis-tu le mieux ?
Le passement de jambe, c'est un geste imparable et idéal pour éliminer le défenseur.

Quel est ton club préféré ?
Sentimentalement, l'Olympique de Marseille et mon objectif de carrière, jouer à Arsenal.

Ton plat préféré ?
Le couscous.

Si je te propose de rencontrer une personnalité, qui choisiras-tu ?
Zinedine Zidane.

Si tu ne faisais pas du foot, quel métier aurais-tu souhaité exercer ?
Journaliste.

Merci Kamel.
Merci.

* Centre d'entraînement de l'Olympique de Marseille

1 Lisez cette interview. Décrivez la trajectoire professionnelle de Kamel, ses habiletés techniques, ses projets, ses goûts.

2 Relevez le lexique se référant au football. Comment pourriez-vous faire comprendre ces mots sans les traduire à une personne qui ne connaît rien au foot ? (mime, illustrations…)

Face à face

3 Écoutez et lisez ce début d'interview.

1) Qui sont les personnes interviewées ?
2) Quel sport pratiquent-elles ?
3) Quelle est la particularité de cette interview ?
4) À qui s'adresse-t-elle ?

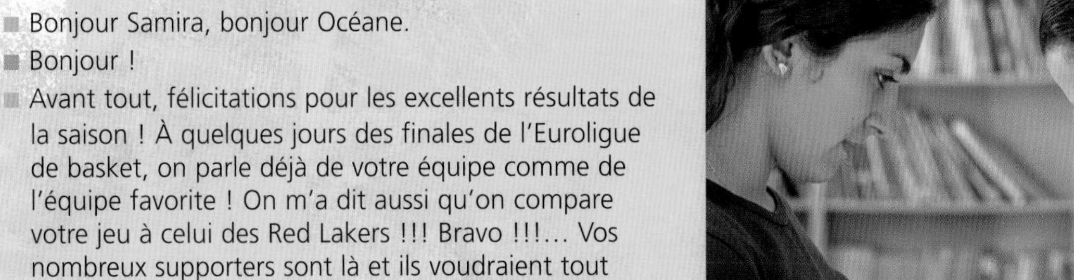

- Bonjour Samira, bonjour Océane.
- Bonjour !
- Avant tout, félicitations pour les excellents résultats de la saison ! À quelques jours des finales de l'Euroligue de basket, on parle déjà de votre équipe comme de l'équipe favorite ! On m'a dit aussi qu'on compare votre jeu à celui des Red Lakers !!! Bravo !!!... Vos nombreux supporters sont là et ils voudraient tout savoir sur vous qui êtes les vedettes de l'équipe... Vous vous entendez bien ? Qu'est-ce que vous pensez l'une de l'autre ? ... Vous êtes prêtes à répondre ?
- Oui, oui, on est prêtes !
- Oui ? Alors, on y va !

4 Écoutez la suite de l'interview.

1) Relevez les questions du journaliste. Quelles formules utilise-t-il pour féliciter les basketteuses ? pour les encourager ? pour commencer et pour terminer son interview ?
2) Définissez le caractère de Samira et Océane d'après les informations entendues.
3) D'après vous, quel âge ont-elles ?

5 Prise de notes. Réécoutez l'interview et relevez tous les mots qui sont en rapport avec le sport.

6 Oral en tandem. Préparez l'interview d'une personne de votre choix (journaliste et personne interviewée).

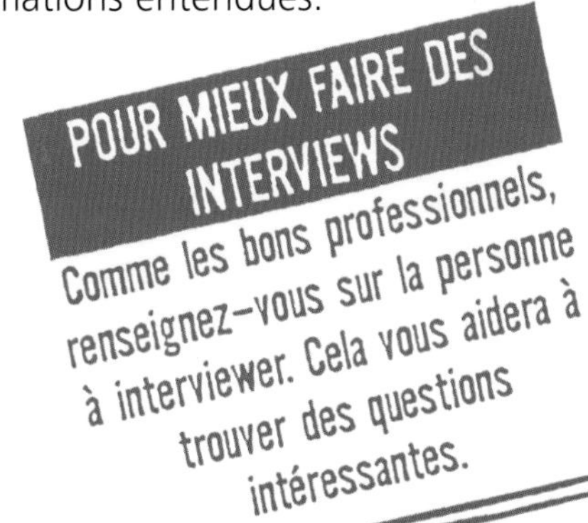

Écoutez, observez, analysez

LE PRONOM INDÉFINI *ON*

Il a trois sens principaux :

1) *On* = Quelqu'un = Une ou plusieurs personnes indéterminées
   On vous a téléphoné pour une interview.
   Océane, on t'appelle au téléphone, je crois que c'est un journaliste.
2) *On* = Nous
   Nous, on est des admirateurs d'Océane et de Samira.
3) *On* = Les gens = Tout le monde
   En France, on adore les stars du foot !

Réécoutez ces extraits de l'interview. Repérez la phrase qui contient le pronom *on*. Répétez-la à haute voix et dites par quoi on pourrait remplacer ce pronom.

ÉcritOralÉcritOral

DISTINGUER LE PRÉSENT, LE PASSÉ COMPOSÉ ET L'IMPARFAIT

je parle	j'ai parlé	je parlais
[ʒəpaʀlə]	[ʒepaʀle]	[ʒəpaʀlɛ]

Écoutez et dites si ce que vous entendez est au présent, au passé composé ou à l'imparfait. Écrivez et relisez-vous.

DOC LECTURE : Un siècle d'effets spéciaux

Découvrez les secrets des magiciens du cinéma

D'UN DÉCOR EN BOIS ET EN TOILE...

Cette célèbre scène du *Voyage dans la Lune,* filmée en 1902 par Georges Méliès dans son studio de Montreuil, préfigure déjà les décors virtuels d'aujourd'hui. Sur cette photo du tournage, on découvre qu'en dehors de l'acteur, tout le reste de l'image est peint !

AUX IMAGES DE SYNTHÈSE

Panique à New-York : une vague géante s'abat sur la ville, emportant pêle-mêle piétons, bus et voitures ! Ce morceau de bravoure du film catastrophe *Le jour d'après* a été réalisé en deux temps. Une partie de l'avenue et de l'escalier a été reconstituée dans un studio (photo ci-dessus). Les gratte-ciel, la vague colossale, les voitures emportées et les passants balayés par l'eau on été recréés avec des images de synthèse.

DES ABYSSES... DANS UNE PISCINE

James Cameron a eu l'idée de construire le décor marin de son film *Abyss* dans une centrale nucléaire inachevée. Ses techniciens y ont construit un fond rocheux, puis l'ont remplie de 32 millions de litres d'eau !

ANIMÉE IMAGE PAR IMAGE

Vous avez reconnu cette marionnette de 1933 en un éclair : en effet, c'est King Kong ! Cet énorme monstre mesurait en fait 80 cm... Son squelette de métal articulé était recouvert d'une musculature d'éponges découpées, d'une peau de latex et de fourrure de lapin. Après lui avoir fait prendre une pose intéressante, O'Brien prenait une photo. Il déplaçait de quelques millimètres les bras, les jambes et la tête du gorille, prenait une autre image, et répétait ce processus vingt-quatre fois pour obtenir une seconde d'animation ! C'était en 1933.

VIRTUEL DE LA TÊTE AUX PIEDS

Grâce aux progrès de la 3D, la télé peut s'offrir à moindre coût des trucages issus du cinéma. La série anglaise *Chased by Dinosaurs* (*Poursuivi par les dinosaures*) montre ainsi un journaliste-explorateur côtoyant les monstres de la préhistoire. Pendant le tournage en milieu naturel, les experts du studio Framestore ont mesuré l'orientation, la couleur et l'intensité de la lumière ambiante, et l'ont répliquée sur le dino 3D, sans oublier d'ajouter un nuage de poussière virtuelle devant ses pattes pour l'intégrer parfaitement au paysage réel.

Textes et photos issues de *Un siècle d'effets spéciaux* © Pascal Pinteau / Science & Vie Junior n° 184, janvier 2005

1 **De qui parle-t-on, dans cet article, quand on dit « les magiciens du cinéma » ?**

2 **De quelles années datent les premiers effets spéciaux du cinéma décrits page 44 ? En quoi consistaient-ils ?**

3 **Quelles sont les différences entre les premiers effets spéciaux et les plus modernes ?**

4 **Dans quel genre de films trouve-t-on souvent des effets spéciaux ?**

5 **Vous aimez les films à effets spéciaux ? Quels sont les meilleurs, d'après vous ?**

Atelier d'écriture *Écrire à partir d'une image*

À vos plumes !

Vous êtes journaliste et, à partir du dessin ci-dessus, vous devez rédiger un court article sous forme de fait divers.

1) Inventez un titre et écrivez-le en majuscules.
2) Racontez ce qui s'est passé : où, quand, quoi, qui, pourquoi, comment ?
3) Imaginez comment les choses se sont terminées.

Voici quelques mots qui peuvent vous aider :

- **noms :** chauffeur, carrefour, feux tricolores, piste cyclable, dégâts, témoin...
- **adjectifs :** distrait(e), fâché(e), calme, poli(e), étonné(e), apeuré(e)...
- **verbes :** rouler, heurter, freiner, crier, provoquer, insulter...
- **adverbes :** d'abord, ensuite, après, finalement, doucement, brusquement...

PROJET Journal télévisé

Tous ensemble, vous allez produire un journal télévisé.

- **Préparation :**
  - Formez des groupes de deux, trois, quatre personnes au maximum.
  - Décidez quel type de document vous allez présenter : un reportage d'actualité, une interview, la météo, une publicité, etc…
  - Vous pouvez parler de ce qui se passe dans le monde, dans votre ville… mais aussi dans votre lycée ou dans votre classe.
  - Mettez-vous d'accord sur le ton : sérieux, tragique, loufoque…
  - Rédigez les contenus pour 2-3 minutes d'enregistrement maximum.

- **Mise en scène :**
  - Distribuez les rôles (présentateur, présentatrice, envoyé(e) spécial, personne interviewée…).
  - Élaborez un décor, préparez des accessoires : une carte, une toile de fond, des déguisements…
  - Pensez à la musique ou à d'autres effets spéciaux…
  - Répétez et enregistrez votre production ou présentez votre journal en direct.

- **Attention…**
  - à la diction, à la prononciation de tous les mots.
  - à l'expressivité de l'intonation.
  - au rythme des phrases (faites des pauses et ne parlez pas trop vite).

Et surtout, n'oubliez pas de regarder votre public ou la caméra !!!

TEST DE COMPRÉHENSION ORALE !!!

On parle de cinéma

Cahier d'exercices, page 54

ÊTES-VOUS CAPABLE DE...?

DISCUTER ET DÉFENDRE VOTRE POINT DE VUE

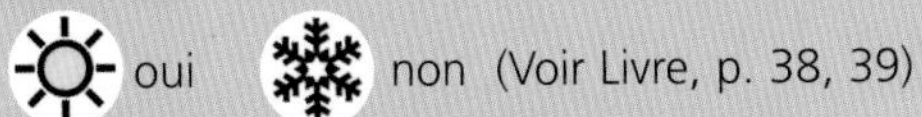
oui non (Voir Livre, p. 38, 39)

1 **Tout à fait d'accord ? Pas du tout ? Réagissez à ces affirmations et défendez votre point de vue !**

LA TÉLÉRÉALITÉ, C'EST DE LA TÉLÉ POUBELLE !

Les émissions sportives sont très insuffisantes !

La télé a un rôle éducatif

Zapper stimule l'imagination et la compréhension des enfants

Score / 10

INDIQUER LA POSSESSION À L'AIDE D'UN PRONOM POSSESSIF

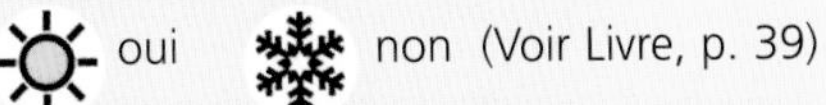
oui non (Voir Livre, p. 39)

2 **Imaginez les commentaires et les questions du présentateur sur ces chiens et leurs aptitudes, puis les commentaires de leurs propriétaires.**

Score / 10

FAIRE DES GÉNÉRALISATIONS À L'AIDE DU PRONOM *ON*

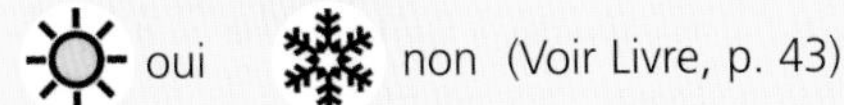
oui non (Voir Livre, p. 43)

3 **Antoine D'Alma est le chanteur révélation de cette année. Paparazzis et journalistes le poursuivent sans arrêt... Que dit-on de lui ? Pourquoi l'aime-t-on autant ? Racontez au moins cinq rumeurs qui circulent sur lui.**

Score / 5

RACONTER UN ÉVÉNEMENT AU PASSÉ

oui non (Voir Livre, p. 41)

4 **Vous avez lu la presse du cœur. Vous savez tout maintenant sur eux deux : où ils se sont rencontrés, quand, comment, dans quelles circonstances... Racontez leur histoire.**

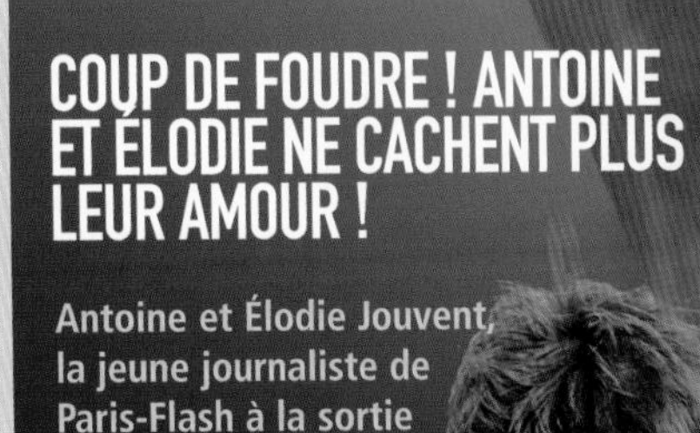
COUP DE FOUDRE ! ANTOINE ET ÉLODIE NE CACHENT PLUS LEUR AMOUR !

Antoine et Élodie Jouvent, la jeune journaliste de Paris-Flash à la sortie de Chez Maxim's.

Score / 10

DÉCRIRE LE TEMPS QU'IL FAIT

oui non (Voir Livre, p. 40)

5 **Dans l'ascenseur, vous rencontrez votre voisin du 7e. Vous commentez les brusques changements de temps entre hier et aujourd'hui. Jouez la scène.**

Score / 5

Score total / 40

ÉCOUTER

 *Durée : 30 minutes*

Écoutez ces trois mini-dialogues : qui parle ? à qui ? pourquoi ? Testez votre compréhension dans le Cahier d'exercices (page 56, exercices 1, 2 et 3).

LIRE

 *Durée : 30 minutes*

Lisez ces affiches élaborées par le WWF. Que propose cet organisme ? Testez votre compréhension dans le Cahier d'exercices (page 57, exercices 4 et 5).

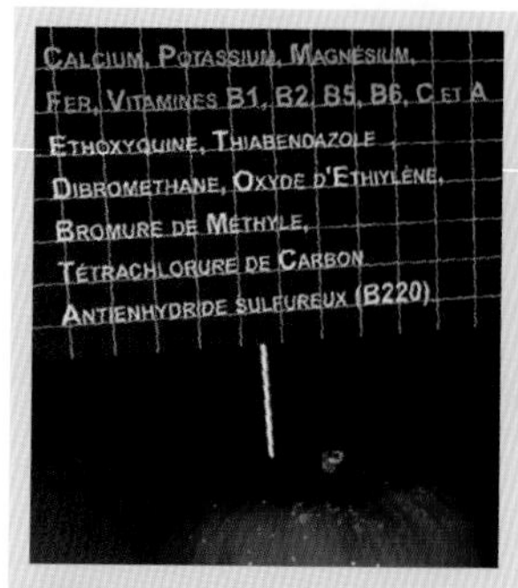

Changez votre quotidien

car il faut être attentif à son alimentation

Mille et une raisons pour privilégier l'agriculture durable

Augmenter la productivité à tout prix entraîne des modes de production qui font appel à des produits chimiques de synthèse. Ces derniers dégradent la qualité des milieux (sols, eaux...) et menacent la biodiversité par une standardisation de la consommation. Tout cela finit dans notre assiette ! L'agriculture biologique (AB) est exempte de produits chimiques de synthèse (produits phytosanitaires, engrais...) et respecte la qualité de vie des élevages.

Quelques gestes quotidiens pour bien nous alimenter

› Acheter des produits AB
› Consommer des fruits et légumes de saison et profiter des produits régionaux
› Lire les étiquettes des produits

Pour mieux comprendre cet enjeu majeur
Contactez le WWF
01 55 25 84 84 – www.wwf.fr
Organisation mondiale de protection de la nature et de défense de l'environnement

Changez votre quotidien

car l'eau devient rare et chère

Mille et une raisons pour préserver l'eau

L'eau est un enjeu majeur dans de nombreux pays et devient peu à peu un produit de luxe pour tous. Sans la maîtrise de nos consommations et de nos rejets, 3,5 milliards de personnes auront des difficultés d'approvisionnement en eau d'ici 2025. Nous utilisons en moyenne 150 litres d'eau par jour, soit 70 fois plus que la consommation d'un habitant du Ghana, alors qu'une économie d'environ 30 litres par jour est possible.

Quelques gestes quotidiens pour maîtriser nos consommations

› Installer des économiseurs d'eau (toilettes, robinets..) et colmater les fuites
› Eviter l'eau qui coule pour rien (vaisselle, brossage des dents...)
› Bien remplir les machines à laver et profiter des fonctions « lavage économique » ou « 1/2 charge »
› Ne pas déverser de produits détergents et solvants dans nos éviers et utiliser des produits de qualité environnementale

Pour mieux comprendre cet enjeu majeur
Contactez le WWF
01 55 25 84 84 – www.wwf.fr
Organisation mondiale de protection de la nature et de défense de l'environnement

ÉCRIRE

 *Durée : 45 minutes - 90-100 mots*

Vous avez décidé d'organiser une fête surprise pour l'anniversaire d'un(e) de vos meilleur(e)s copains / copines. Vous rédigez un e-mail pour inviter tous les participants. Précisez l'heure, le lieu, comment y arriver, ce qu'il faut apporter, etc.

PARLER

1.PRENDRE PART À UNE CONVERSATION

Durée : 3-5 minutes

En tandem. Jeu de rôle au choix :

1) Vous arrivez dans un hôtel ou une auberge de jeunesse. Vous posez des questions à l'employé(e), qui vous répond et vous fait des recommandations.

2) Vous êtes journaliste et vous interviewez une personne de votre choix.

2.S'EXPRIMER EN CONTINU / ENTRETIEN DIRIGÉ

Durée : 2-3 minutes

Individuellement. a) Choisissez un des sujets suivants et développez-le. **b)** Répondez aux questions de votre professeur sur un de ces sujets.

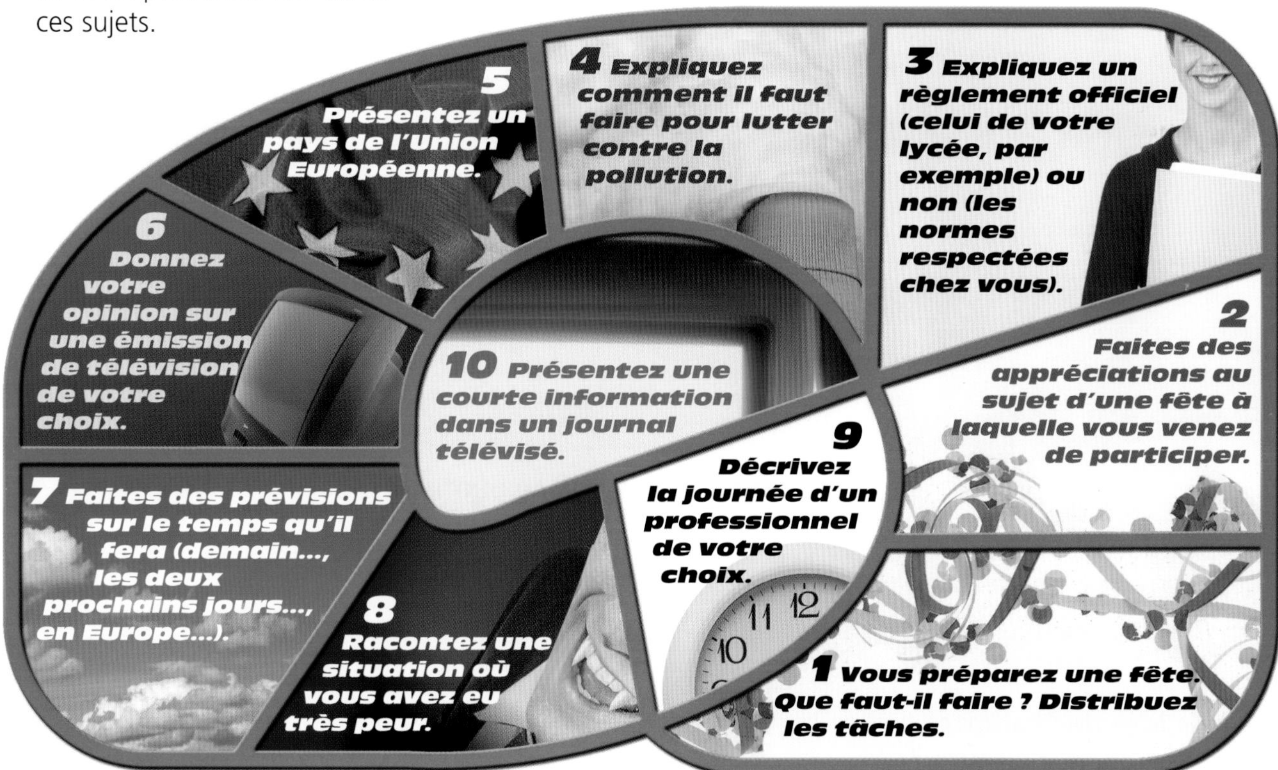

- Proposer des idées pour améliorer son environnement
- Exprimer des besoins, faire des suggestions, exprimer des souhaits

Ma ville, ça me regarde !

**Votre ville ou village vous plaît ? Aimeriez-vous vivre ailleurs ?
Qu'aimeriez-vous améliorer ou changer ?
Voici les questions posées à Charlotte, une lycéenne de seize ans.**

1 **Écoutez l'interview.** Qu'est-ce qui plaît surtout à Charlotte ? Qu'est-ce qu'elle voudrait changer ?

2 **Quelles sont ses propositions ?** Aidez-vous des photos pour reconstituer ses réponses.

3 **Quelle idée de Charlotte vous semble la meilleure ?**

ÉcritOralÉcritOralÉcritOral

Diversité

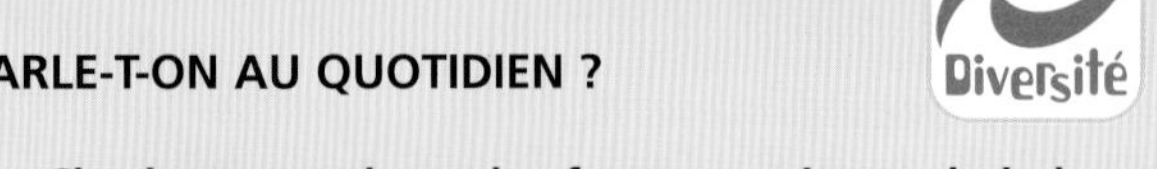

COMMENT PARLE-T-ON AU QUOTIDIEN ?

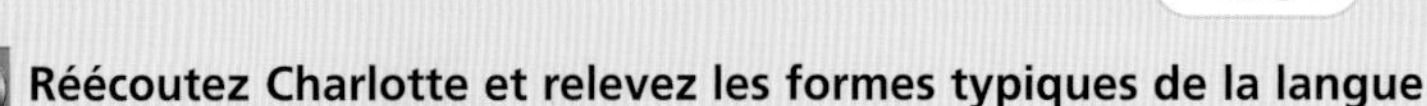

Réécoutez Charlotte et relevez les formes typiques de la langue parlée qu'elle utilise.

- Hésitations : **Euh, euh... mm...**
- Interjections : **Hein ! Bon ! Zut !...**
- Interruptions, phrases non terminées.
- Reprises, retours en arrière.
- Abréviations : **récré...**
- Mots béquilles : **tu vois, en fait...**
- Mots passe-partout : **truc, chose, machin...**

4 Dans cette liste, il y a cinq propositions qui ne sont pas de Charlotte. Réécoutez l'interview pour les trouver.

1) J'aiderais les SDF.
2) On pourrait s'occuper des personnes âgées.
3) Je mettrais partout des ordinateurs gratuits.
4) Il faudrait pouvoir utiliser les installations sportives de l'école le week-end.
5) Je construirais des centres pour les jeunes.
6) On pourrait employer des jeunes pour faire des travaux dans la ville.
7) J'aimerais qu'il y ait plus d'espaces verts pour qu'on puisse s'allonger sur les pelouses.
8) On ne devrait pas avoir à transporter des livres.
9) On pourrait rouler tranquillement en vélo.
10) Il faudrait qu'il y ait des animations, des ateliers, des travaux manuels.
11) Tous les transports seraient gratuits.
12) Une bonne idée, ce serait des discothèques gratuites.
13) Tous les jours seraient comme le jour de la fête de la musique.
14) Toute la ville se transformerait la nuit en piste pour les rollers.

Les jeunes ont la parole !

Les Conseils d'enfants et de jeunes existent en France depuis 1990. Ils permettent aux 9-18 ans de participer à la vie de leur village, ville, département ou région. Ils apportent des idées et réalisent des actions pour améliorer la vie des habitants.

Qu'en pensez-vous ?

Pour en savoir plus, visitez le site www.anacej.asso.fr

POUR MIEUX COMMUNIQUER À L'ORAL

Si vous ne trouvez pas un mot, aidez-vous des synonymes ou faites des gestes. Ne vous inquiétez pas si vous commettez des erreurs ! À certains moments, être trop perfectionniste risque de vous bloquer.

Observez et analysez

LE CONDITIONNEL

Emploi :

Pourriez-vous répondre à quelques questions ?
J'aimerais avoir moins d'heures de cours.
Les étudiants auraient plus de temps libre.
Tous les mois, nous pourrions faire une sortie.

A Quelle phrase correspond à une demande polie ? à un souhait ? à un fait imaginaire ? à une suggestion ? Trouvez d'autres exemples.

Conjugaison :

je mettrais	nous mettrions
tu mettrais	vous mettriez
il / elle / on mettrait	ils / elles mettraient

Autres verbes :
je serais, je ferais, je voudrais, je viendrais, j'irais...

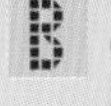

B Quel temps verbal a les mêmes terminaisons ? et le même radical ?

C Expliquez la règle de formation du conditionnel.

5 Que feriez-vous pour améliorer votre ville ? votre quartier ? Faites une liste de vos besoins et souhaits et exposez-les à vos camarades. (Vous pouvez proposer des idées sérieuses, réalistes ou loufoques).

Pour vous aider

EXPRIMER DES BESOINS

- On a besoin de...
- On manque de...
- Il manque des...
- Les ... ne suffisent pas.
- Il n'y a pas assez de...
- Il nous faut / faudrait...

EXPRIMER DES SOUHAITS

- On devrait...
- Il faudrait que...
- J'aimerais que...
- Je voudrais que...
- Je souhaiterais que...
- Il devrait y avoir...

- Faire des hypothèses
- Imaginer son comportement dans une situation difficile

Test : Que feriez-vous dans cette situation ?

1 **Écoutez et répondez.** Qui explique ce test ? Où ? À qui ? Quelles sont les réponses proposées ?

Aucun de ces jeunes n'a trouvé la solution ! Et vous ?

Observez et analysez

EXPRIMER UNE HYPOTHÈSE

Si j'accepte ce travail, tout ira mieux. Si j'acceptais ce travail, tout irait mieux.

A **Laquelle de ces deux hypothèses a le plus de chances de se réaliser ?**

B **Quel est le temps employé dans chaque cas ? Comparez avec votre langue.**

2 Jeu énigme. Voilà le test qu'un cabinet de recrutement de personnel a fait passer à deux cents candidats. Il s'agit de trouver la meilleure solution à ce problème.

Un soir, assez tard, en plein milieu d'une terrible tempête, vous rentrez chez vous au volant de votre voiture. Devant un arrêt de bus, trois personnes vous font signe de vous arrêter.

a) Une dame âgée malade qui doit se rendre à l'hôpital.
b) Un médecin, bon ami à vous, qui vous a sauvé la vie il y a quelques années.
c) L'être le plus charmant qu'on puisse imaginer. En définitive, la personne de vos rêves.

Le problème, c'est que votre voiture de sport n'a que deux places, donc vous pouvez seulement prendre un passager avec vous.

Que feriez-vous si vous étiez le conducteur ou la conductrice ?

Réfléchissez bien :

a) Si la dame âgée ne va pas à l'hôpital, elle peut mourir.
b) Si le médecin qui vous a sauvé la vie voit que vous l'abandonnez, vous perdez un ami.
c) Si vous abandonnez la personne de vos rêves, vous perdez l'espoir d'être heureux /se !

Et si on jouait au portrait chinois ?

3 Écoutez ces jeunes. Si c'était une couleur… ce serait le bleu ! Si c'était une ville… ce serait New York.

4 Maintenant, à vous de jouer ! L'un(e) d'entre vous pense à une personne de la classe, les autres devinent de qui il s'agit !

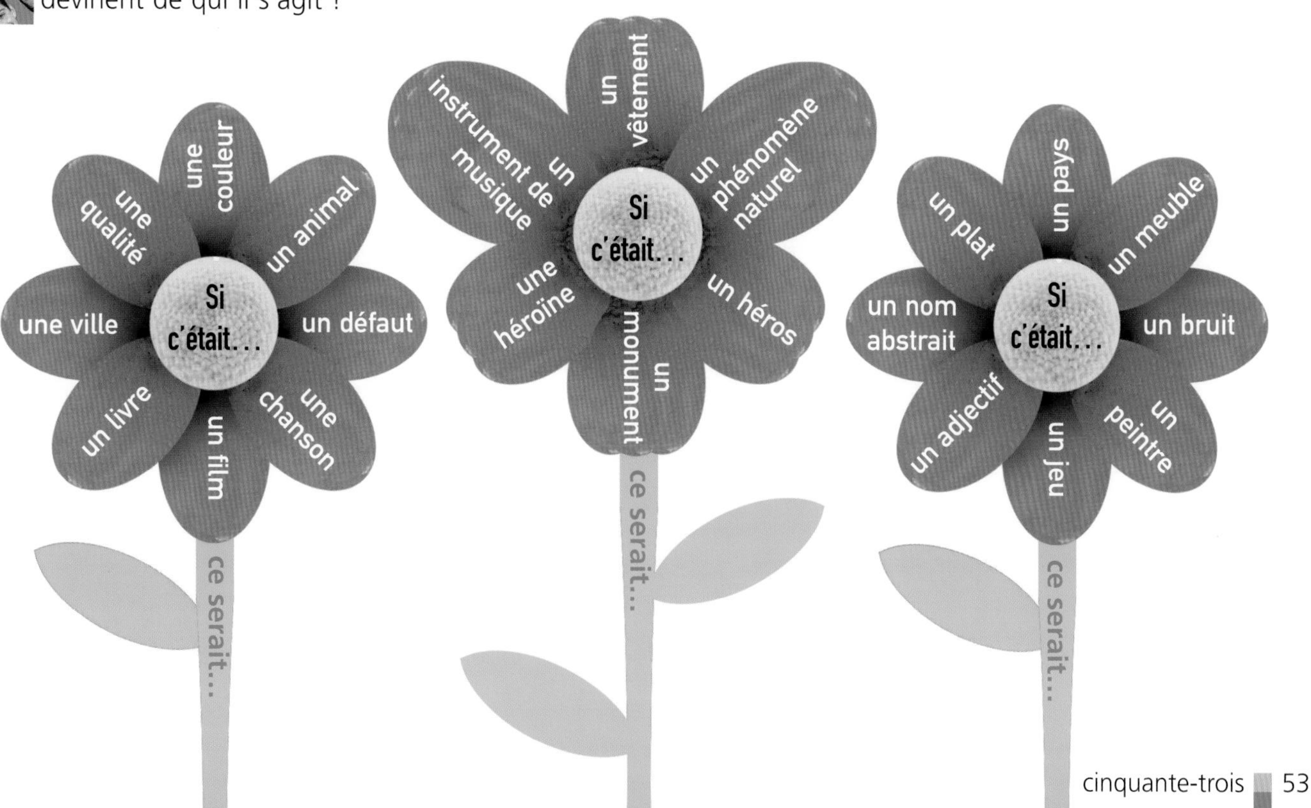

- Raconter le parcours professionnel de quelqu'un
- Exprimer la durée

Métiers passion

1 **Écoutez et prenez des notes sur le parcours professionnel de ces jeunes.**

2 **Réécoutez et lisez les témoignages de ces trois professionnels.** Quelles informations ne figurent pas dans les textes ?

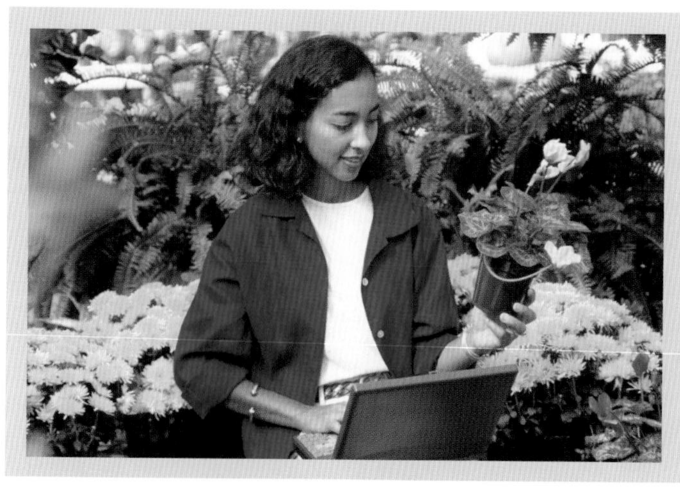

STÉPHANIE, fleuriste

Ce matin, je me suis levée à 3 h 30 pour faire mes achats de fleurs en gros. De retour au magasin, j'ai tout préparé avant l'ouverture à 9 h. Pendant la journée, j'ai eu beaucoup de choses à faire : composer des bouquets, servir et conseiller les clients, la comptabilité... Je suis restée à la boutique jusqu'à 20 h. Ce qui est intéressant dans ce métier, c'est qu'on est à la fois commerçant et artiste. Je dois travailler le samedi et certains jours fériés mais, malgré ces horaires, je ne regrette pas d'avoir choisi cette profession. Autour de moi, tout est beau...

THOMAS, artisan jardinier

Depuis toujours, je rêvais de devenir artisan et de vivre en plein air. Pendant que mes copains jouaient au foot, moi, je faisais des petits boulots dans les jardins du quartier : tondre une pelouse ici, désherber là. À 18 ans, je me suis inscrit à une formation de création d'entreprise et après, tout s'est passé très vite. Il y a 10 ans que j'ai créé ma propre boîte d'entretien de jardins et j'ai actuellement cinq employés et deux apprentis. J'adore mon travail mais je ne me vois pas artisan jusqu'à 60 ans. Dès que j'aurai trouvé l'emplacement idéal, j'installerai un gîte en montagne, avec des chambres d'hôtes. Il y a toujours un rêve à réaliser...

SYLVAIN, sage-femme

J'ai su que je voulais exercer un métier médical depuis l'âge de 8 ans. J'ai donc passé un Bac S et j'ai commencé mes études de médecine. Après la deuxième année, j'ai changé de filière et je me suis inscrit à l'école de sages-femmes. On m'a dit que ce n'était pas évident pour un garçon mais j'ai tenu bon. J'ai obtenu mon diplôme il y a 3 ans et depuis, je travaille à l'hôpital. Mon travail consiste à accompagner les femmes enceintes depuis le début de la grossesse jusqu'à l'accouchement. Une fois l'enfant né, j'effectue l'examen pédiatrique, puis la surveillance de la maman et du bébé pendant les deux heures qui suivent. J'adore ça. La naissance d'un bébé, c'est toujours un moment très fort et même magique.

3 **Lequel de ces métiers vous intéresse le plus ?** Pourquoi ? Quels sont les avantages et les inconvénients de chacun d'entre eux ?

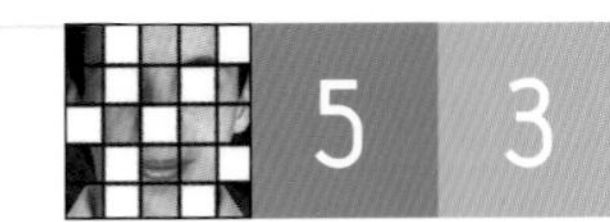

4 Laëtitia, la passion de l'information. Écoutez la journaliste Laëtitia Markovitch qui parle de son métier.

5 Répondez à ces questions.

1) Depuis quand Laëtitia adore-t-elle communiquer avec les autres ?
2) Pendant combien de temps a-t-elle poursuivi sa famille avec son micro ?
3) Depuis quand est-ce qu'on ne lui offre que des livres ?
4) Quand a-t-elle fait plein de petits boulots ?
5) Quand a-t-elle fini ses études ?
6) Il y a combien de temps qu'elle travaille à l'ONU ?

Pour vous informer sur d'autres professions, visitez les sites www.leguidedesmetiers.letudiant.fr ou www.jetudie.com

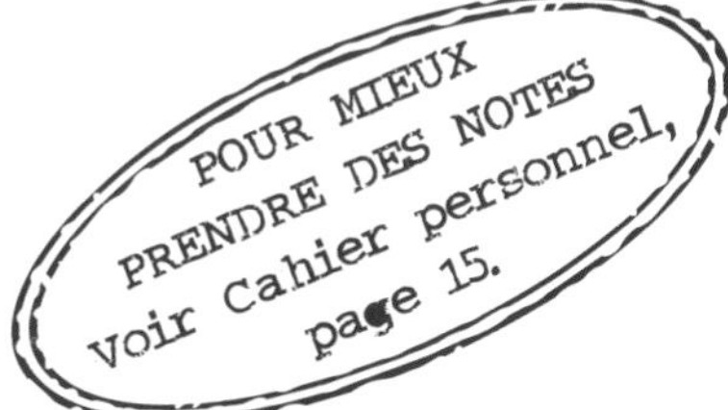

Observez et analysez

L'EXPRESSION DE LA DURÉE

DEPUIS LE DÉPART

JUSQU'À L'ARRIVÉE

Il est parti il y a trois heures.
Depuis qu'il est parti, il pleut.
Il roule depuis trois heures.
Il y a trois heures qu'il roule.
Ça fait trois heures qu'il roule.
Pendant le trajet, les voyageurs dorment.
Il arrivera dans une heure à Genève.
Il va rouler à grande vitesse jusqu'à Genève.

A Observez les expressions temporelles utilisées.

B Repérez les temps verbaux qui accompagnent ces expressions.

C Comparez avec les formules employées dans votre langue.

D Cherchez d'autres exemples sur la page précédente.

6 Mireille, professeur de musique. Reconstruisez le parcours professionnel de Mireille à l'aide de la fiche ci-dessous. Utilisez *depuis, pendant... / pendant que..., à +* âge, *ça fait... que..., jusqu'à...*

- **1985 :** naissance à Charleroi.
- **Études :** baccalauréat en 2003. Conservatoire de musique (de 2003 à 2008). Elle rêve de devenir chanteuse.
- **Langues :** français (langue maternelle), anglais et chinois.
- **Expérience professionnelle :** remplacements dans un supermarché. Traductrice anglais-français. Professeur dans une école de musique.
- **Informations complémentaires :** souhaiterait créer sa propre école de musique orientée vers la musique chinoise.
- **Voyages :** Angleterre, Chine.

DOC LECTURE : L'intelligence, une faculté aux mille visages

LA THÉORIE DES HUIT INTELLIGENCES

Selon cette théorie, le cerveau a huit façons de faire fonctionner ses deux hémisphères. Il choisit la plus adaptée en fonction des informations qu'il reçoit et des problèmes à résoudre.

Nous disposons tous de ces diverses possibilités mais avons-nous essayé de les développer toutes ?

Utiliser les mots appropriés, les constructions grammaticales correctes, manier la métaphore, avoir le sens de la rime... Si vous êtes doué(e) pour ça, vous le devez à votre **intelligence verbale**, celle des poètes, des écrivains, des avocats, des journalistes et de tous les beaux parleurs.

Maniement des nombres, des symboles, analyse des causes d'un problème, classement, déduction des conséquences : **l'intelligence logico-mathématique** est surdéveloppée chez le matheux, le scientifique ou encore le champion d'échecs.

Vous l'avez développée dès les premiers gazouillis. **L'intelligence musicale** permet d'analyser et de retenir les sons, de juger leur hauteur, de sentir le rythme et la mélodie d'une musique. Indispensable pour devenir chanteur, musicien, chef d'orchestre, ingénieur du son et, surtout, compositeur.

L'intelligence visuo-spatiale vous permet de « voir » des objets imaginaires dans votre tête, de les manipuler virtuellement, mais aussi de vous repérer dans l'espace ou de mémoriser un itinéraire. Les navigateurs, géographes, architectes, artistes peintres ou sculpteurs en ont à revendre.

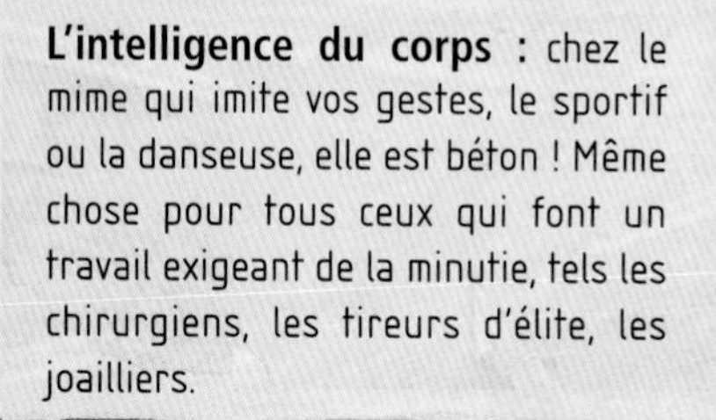

L'intelligence du corps : chez le mime qui imite vos gestes, le sportif ou la danseuse, elle est béton ! Même chose pour tous ceux qui font un travail exigeant de la minutie, tels les chirurgiens, les tireurs d'élite, les joailliers.

Par **intelligence intra-personnelle**, on désigne la capacité à savoir ce qui est vrai en soi-même, à ne pas se leurrer sur ce qu'on ressent, à évaluer ses points forts et à sentir ses limites. Typiquement celle du sage, du philosophe ou encore du psychanalyste.

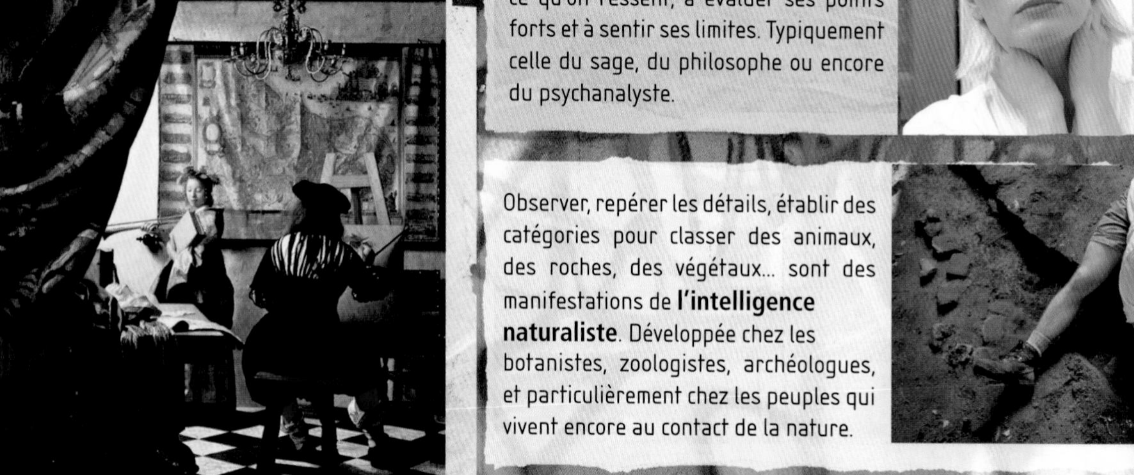

Observer, repérer les détails, établir des catégories pour classer des animaux, des roches, des végétaux... sont des manifestations de **l'intelligence naturaliste**. Développée chez les botanistes, zoologistes, archéologues, et particulièrement chez les peuples qui vivent encore au contact de la nature.

Atelier d'écriture

Doué(e) d'**intelligence interpersonnelle** (ou sociale), vous prévoyez les réactions de ceux qui vous entourent et vous adaptez votre attitude en fonction : vous voilà bon dirigeant, entraîneur ou professeur.
Indispensable dès qu'il s'agit de travailler en groupe sans s'étriper. Bien pratique dans des métiers de négociation comme commercial, vendeur, avocat.

1 D'après vous, quelles sont vos intelligences dominantes ? S'accordent-elles bien avec vos choix professionnels ? Expliquez pourquoi.

2 Aimeriez-vous développer d'autres intelligences ? Lesquelles ? Pour quoi faire ? Comment vous y prendre ?

Rédiger un Curriculum Vitae

Vous n'avez pas beaucoup d'expérience de la vie professionnelle mais vous êtes jeune et vous avez envie d'apprendre. Il est intéressant de montrer dans votre C.V. que vous avez les qualités, la disponibilité et le comportement qui font de vous la personne adéquate pour le poste sollicité. Il s'agit de bien mettre en relief tous ces aspects. Essayez de montrer le meilleur de vous-même en restant « vrai(e) ».

1 Lisez et analysez la composition du C.V. de Noémie.

Garcia, Noémie
10 rue de la Source
75016 Paris
Tél 06 99 08 71 23
ngarcia@laposte.com
Née le 23 mars 1987
Célibataire ◀ **État civil et date de naissance**

La présentation doit être claire et aérée. Attention ! une tâche de café ou une faute d'orthographe peut faire partir votre C.V. à la poubelle !

FORMATION
Études
2de Sciences
Diplômes obtenus :
Brevet des collèges
Degré élémentaire École municipale de musique

Langues
Anglais : lu, écrit, parlé, niveau scolaire
Espagnol : deuxième langue maternelle

Informatique
Utilisatrice autodidacte de Windows XP
Compétitions de jeux on-line

EXPÉRIENCE PROFESSIONNELLE
Nombreux baby-sittings avec références ◀ **Sens de la responsabilité**
Juin 2006, cueillette des cerises
Été 2005, monitrice bénévole à la crèche municipale ◀ **Révèle du dynamisme**

INFORMATIONS COMPLÉMENTAIRES
Vie associative
Déléguée de classe ◀ **N'a pas peur de s'impliquer**

Loisirs et centres d'intérêt
Sport : basket-ball ◀ **Esprit d'équipe**
Musique : chorale du lycée
Voyages : séjour linguistique en Irlande. Échange scolaire avec l'Espagne

Divers ◀ **Rubrique à ne pas oublier !**
Permis cyclomoteur
Je me déplace en bicyclette

Caractère
Dynamique, motivée et ouverte
Adore voyager, connaître des gens
Bonne adaptation au travail d'équipe

À vos plumes !

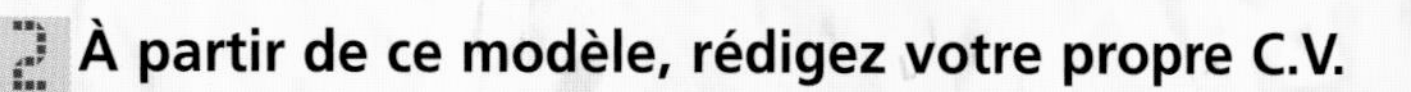

2 À partir de ce modèle, rédigez votre propre C.V.

PROJET Jeu de rôle : deux minutes pour convaincre

Vous êtes à la recherche d'un job pour l'été. Vous avez lu des petites annonces et voici les emplois que vous avez sélectionnés.

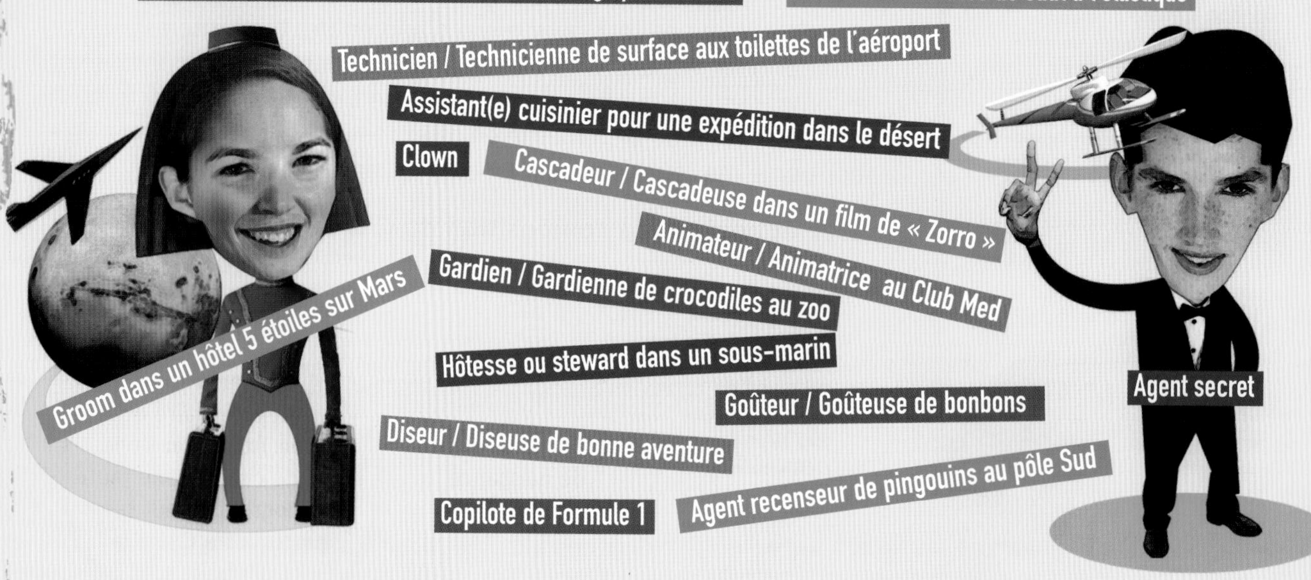

- Réfléchissez bien et choisissez le métier qui vous attire le plus.
- Individuellement, préparez l'entretien que vous aurez avec votre employeur. En deux minutes, il / elle doit être persuadé(e) que vous êtes la personne idéale pour ce poste.
- Pensez aux qualités requises et aux caractéristiques de l'emploi.
  Mettez tous les atouts de votre côté.
  Aidez-vous des différents éléments de votre C.V. (cf. *Atelier d'écriture*) pour mettre en valeur votre parcours professionnel.
- N'oubliez pas de soigner votre image en rapport avec votre personnalité (tenue vestimentaire, gestes, voix, regard, séduction de l'auditoire...).
- Le rôle de l'employeur sera assumé par la classe qui posera quelques questions et attribuera ou non le poste au candidat / à la candidate.

RASSUREZ-VOUS ! VOUS POUVEZ TOUT INVENTER ! ET RIEN N'EST IMPOSSIBLE !

- Vous pouvez aussi préparer cet entretien en tandem : l'un jouera le rôle de l'employeur / euse et l'autre celui du candidat / de la candidate.

TEST DE COMPRÉHENSION ORALE !!!

Interview

Cahier d'exercices, page 68

ÊTES-VOUS CAPABLE DE...?

FAIRE DES HYPOTHÈSES

 oui  non (Voir Livre, p. 52, 53)

SIGNALER DES INCONVÉNIENTS OU DES BESOINS

 oui  non (Voir Livre, p. 50, 51)

PROPOSER DES AMÉLIORATIONS

 oui  non (Voir Livre, p. 50, 51)

EXPRIMER DES SOUHAITS

 oui  non (Voir Livre, p. 50, 51)

1 Vous vous proposez comme délégué(e) de classe. Expliquez votre programme.

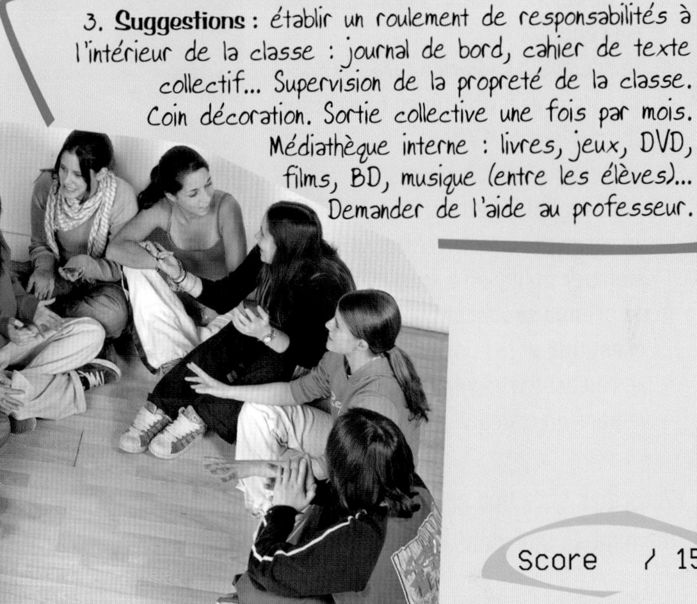

Score / 15

RACONTER UN PARCOURS PROFESSIONNEL oui non 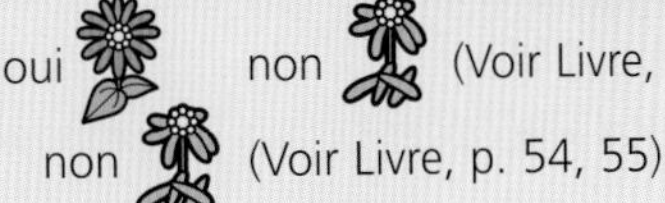 (Voir Livre, p. 54, 55)

EXPRIMER LE TEMPS ET LA DURÉE oui  non (Voir Livre, p. 54, 55)

2 Faites des suppositions sur le parcours professionnel de Mila.

25 ans – célibataire
Lima (Pérou)
Secrétaire
Licence de lettres
(Universidad católica de Lima)
Technicienne de surface
(Lycée Georges-Brassens, Sète)
Études en cours :
kinésithérapeute, formation professionnelle

1) Que faisait-elle avant ?
2) Depuis quand est-elle en France ?
3) Il y a combien de temps qu'elle travaille au lycée ? Jusqu'à quand pense-t-elle exercer ce métier ?
4) Que fait-elle en ce moment ?
5) Pendant combien de temps a-t-elle été secrétaire ?

Score / 5

3 Mila a beaucoup de projets. Racontez-les.

Score / 5

 **Et vous, quel métier aimeriez-vous faire ? Pourquoi ?**

Score / 5

Score total / 30

- Interpréter les résultats d'un sondage
- Parler de soi, de ses réactions

En votre âme et conscience

1 Voici les résultats d'un sondage qui fait apparaître les différentes réactions face à une situation embarrassante. Lisez les questions et les résultats, puis répondez à votre tour, le plus sincèrement possible. À bas les masques !

1

À la caisse d'un magasin, on vous rend la monnaie et on se trompe à votre avantage. Que faites-vous ?

a Je le signale tout de suite : 29 %
b Je ne vérifie jamais la monnaie qu'on me rend : 21 %
c Je m'en vais sans rien dire : 17 %
d Je rougis et bafouille en ramassant chaque pièce : 13 %
e Je demande à voir un responsable pour signaler cette erreur : 7 %
f Je recompte avec attention pour montrer qu'il y en a trop : 5 %
g Je prends seulement la monnaie qui m'est due et je laisse le reste : 5 %
h Je ramasse très vite la monnaie et je pars en courant : 3 %

2

Vous êtes chez une amie, dans le salon. Le téléphone sonne et elle va répondre dans une autre pièce. C'est à ce moment-là que, sans le faire exprès, vous faites tomber un petit objet en céramique, qui se casse. Que faites-vous ?

a Vous allez chercher votre amie pour lui demander quoi faire : 27 %
b Comme personne ne vous a vu(e), vous mettez quelques morceaux dans votre poche et le reste sous l'armoire : 26 %
c Vous ne touchez à rien et quand elle revient, vous lui expliquez le problème : 21 %
d Vous cherchez, sans aucun scrupule sur qui décharger votre culpabilité : 4 %
e Vous ramassez tous les morceaux et les remettez là où était l'objet : 3 %
f Vous ne touchez à rien et quand elle revient vous faites l'étonné(e) : 3 %
g Autres réactions : 16 %

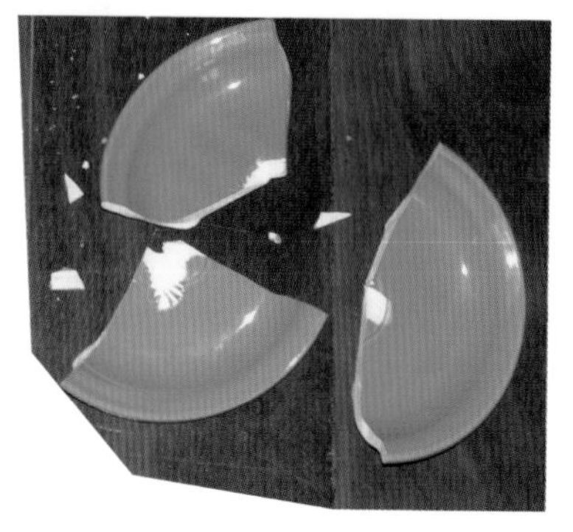

Sondage extrait du site www.momes.net

2 Quelles sont les réactions des personnes qui ont répondu à la première question ? Lisez ces affirmations et dites si elles sont vraies (V) ou fausses (F).

1) Tout le monde est honnête.
2) Un quart environ ne fait pas attention à la monnaie qu'on lui rend.
3) Très peu de personnes demanderaient à voir le responsable.
4) Pour certain(e)s, ce serait tentant de ne pas signaler l'erreur.
5) Pas une seule personne ne signalerait l'erreur.
6) La plupart partirait en courant.

3 Répondez à la deuxième question, puis en grand groupe, faites la moyenne de toutes vos réponses. Est-ce qu'elles correspondent aux résultats du sondage ?

4 Proposez d'autres situations qui pourraient poser certains problèmes de conscience.

5 Observez ces photos et décrivez-les. D'habitude, comment réagit-on devant ces situations ? (Utilisez : *la plupart des gens, tout le monde, on, quelques personnes, aucun, personne…).* Et vous, que faites-vous ? pourquoi ?

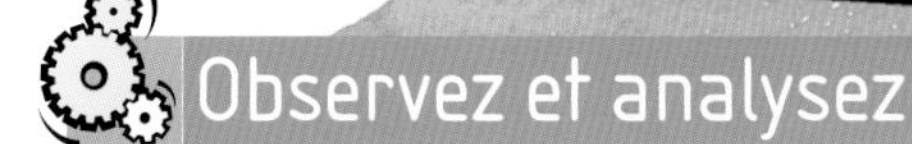

Observez et analysez

QUELQUES ADJECTIFS ET PRONOMS INDÉFINIS

ADJECTIFS	PRONOMS
chaque jour / chaque année	Chacun(e) apporte son livre.
aucun livre / aucune revue	Aucun(e) n'a répondu.
quelques exemples	Quelques-un(e)s pensent ça.
certaines opinions / certains commentaires	Certain(e)s disent le contraire.
un autre jour / une autre fois / d'autres personnes	J'en connais un autre / une autre / d'autres.
plusieurs filles / garçons	Il y en a plusieurs ici.

A Quels indéfinis s'accordent ? Lesquels restent invariables ?

B Relevez dans cette page et la précédente les adjectifs et les pronoms indéfinis.

C En connaissez-vous d'autres ? Lesquels ?

POUR MIEUX FAIRE DES SYNTHÈSES Voir Cahier personnel, page 16.

- Identifier les différents registres de langue
- Raconter une histoire, une anecdote

Façons de parler

Papa, il est prof de français… Oh pardon : mon père enseigne la langue et la littérature françaises. C'est pas marrant tous les jours ! Je veux dire : parfois, la profession de mon père est pour moi cause de certains désagréments.
L'autre jour, par exemple. En sciant du bois, je me suis coupé le pouce. Profond ! J'ai couru trouver papa qui lisait dans le salon.
-Papa, papa ! Va vite chercher un pansement, je pisse le sang ! ai-je hurlé en tendant mon doigt blessé.
-Je te prie de bien vouloir t'exprimer correctement, a répondu mon père sans même lever le nez de son livre.
-Très cher père, ai-je corrigé, je me suis entaillé le pouce et le sang s'écoule abondamment de la plaie.
-Voilà un exposé des faits clair et précis, a déclaré papa.
-Mais grouille-toi, ça fait vachement mal ! ai-je lâché, n'y tenant plus.
-Luc, je ne comprends pas ce langage, a répliqué papa, insensible.
-La douleur est intolérable, ai-je traduit, je te serais donc extrêmement reconnaissant de bien vouloir m'accorder sans délai les soins nécessaires.
-Ah, voilà qui est mieux, a commenté papa, satisfait. Examinons d'un peu plus près cette égratignure.
Il a baissé son livre et m'a aperçu, grimaçant de douleur et serrant mon pouce sanguinolent.
-Mais, t'es cinglé, ou quoi ? a-t-il hurlé, furieux. Veux-tu f… le camp, tu pisses le sang ! Tu as dégueulassé la moquette ! File à la salle de bains et dém….-toi ! Je ne veux pas voir cette boucherie !
J'ai failli répondre : « Très cher papa, votre façon de parler m'est complètement étrangère. Je vous saurais donc gré de bien vouloir vous exprimer en français. » Mais j'ai préféré ne rien dire.
De toute façon, j'avais parfaitement compris.
Je suis doué pour les langues, moi.

Nouvelles histoires pressées. Bernard FRIOT © Éditions Milan, 1992

1 Écoutez et lisez le texte.
1) Quel est le problème entre le garçon et son père ? pourquoi ?
2) Qu'est-ce qui produit un effet comique ?

2 Réécoutez le texte et lisez-le à haute voix en imitant les intonations.

3 Observez le tableau ci-dessous. Quelles sont les caractéristiques des différents registres de langue ?

4 Relisez le texte *Façons de parler* et cherchez des exemples qui illustrent les trois niveaux de langue (soutenu, standard et familier).

Diversité

Les registres de langue

SOUTENU

Phrases longues et complexes.
Vocabulaire recherché.
Langue littéraire. Langue utilisée dans des situations très formelles.

STANDARD

Phrases ni trop longues ni trop courtes.
Mots courants.
Langue utilisée dans des situations formelles.

FAMILIER

Phrases courtes, inachevées, avec des répétitions.
Mots familiers, souvent tronqués.
Langue utilisée dans des situations familières et informelles.

Suite et fin

Le loup était bien vieux, maintenant, et si fatigué ! Pendant des années, il s'était épuisé à courir après les trois petits cochons, sans jamais les attraper. Maintenant, il pouvait à peine marcher et ne se déplaçait plus qu'en fauteuil roulant.
Les trois petits cochons aussi avaient vieilli. Mais eux, ils avaient eu la belle vie, bien à l'abri dans leur maison de brique. Ils avaient toujours mangé à leur faim et ils étaient encore roses et gras.
Pendant toutes ces années, la ville n'avait cessé de grandir et de se rapprocher de la forêt où ils habitaient. Et à trois pas de chez eux, sans qu'ils s'en doutent, on avait construit un centre commercial avec une boulangerie, un bureau de tabac, une pharmacie et une boucherie-charcuterie.
Un beau matin, alors qu'ils faisaient des galipettes dans leur jardin, le boucher les aperçut. Aussitôt, il téléphona à l'abattoir et, deux heures plus tard, les trois petits cochons étaient passés de vie à trépas.
Depuis, tous les jours, le loup s'en va, en fauteuil roulant, à la boucherie et achète trois tranches de jambon, trois côtelettes et trois saucissons. Pur porc.

Nouvelles histoires pressées. Bernard FRIOT © Éditions Milan, 1992

5 Écoutez et lisez l'histoire.
1) À quel conte vous fait-elle penser ?
2) Justifiez le titre. Proposez-en un autre.

6 Réécoutez le texte et lisez-le à haute voix en imitant les intonations.

POUR MIEUX FAIRE UN RÉSUMÉ

Un bon résumé contient toutes les idées essentielles du document d'origine. En général, il occupe environ 1 / 3 de la longueur de ce dernier. Dans un résumé, n'oubliez jamais de garder vos opinions personnelles pour vous.

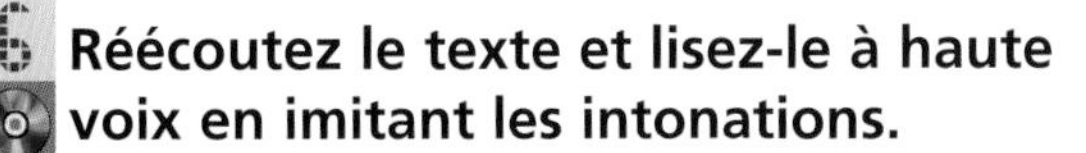

LES REGISTRES DE LANGUE

A Écoutez et distinguez parmi ces groupes de phrases : a) le registre standard, b) le registre familier, c) le registre soutenu.

B Déterminez le registre de chacune de ces phrases.

- M. Marcel Lefèbre arriva, chapeauté et endimanché comme il se devait, pour assister au sermon dans les rangs des notables.
- Marcel Lefèbre est entré dans l'église, habillé avec son costume du dimanche et le chapeau sur la tête, pour assister à la messe.
- Et voilà Marcel qui débarque en costard et avec un chapeau sur le crâne, sapé comme un ministre, pour écouter le curé !

Observez et analysez

LE PLUS-QUE-PARFAIT

A Dans l'histoire *Suite et fin*, observez les verbes signalés en rouge. Ils sont au plus-que-parfait. C'est un temps qu'on utilise pour indiquer une action antérieure à une autre dans le passé (à l'imparfait ou au passé composé).

- Pourquoi les trois petits cochons étaient encore roses et gras ?
- Parce qu'ils avaient eu une belle vie.

B Comment se forme le plus-que-parfait ?

C Conjuguez les verbes suivants au plus-que-parfait : *manger, finir, aller, se promener.*

7 À vos plumes ! Par groupes de deux ou individuellement, traitez l'un des deux sujets suivants (au choix).
1) « On ne parle pas la même langue ! » Inventez une situation où les registres soutenu et familier sont en contraste.
2) Trouvez la suite et la fin d'un autre conte. N'oubliez pas de donner un titre à vos histoires !

MODULE 6 LEÇON 3

- Interpréter et comparer des tableaux
- Reconnaître le passé simple à l'écrit

Regards dans un regard

1 Coup d'œil rapide. Observez ces tableaux. Ont-ils des points en commun ? lesquels ?

2 À quel tableau correspond chacun de ces titres ?

1) Personnage à la fenêtre (1925)
2) Le pont en fer (1879)
3) La blanchisseuse (1888)
4) Le voyageur au-dessus des nuages (1818)

A

3 Lisez ces notices biographiques et retrouvez qui a peint chaque tableau.

Friedrich, Caspar David
(Greifswald, près de Stralsund, 1774 - Dresde, 1840, Allemagne)

Peintre romantique. Il peignait souvent la solitude de l'homme face à l'immensité de la nature. Ses décors intemporels représentent souvent des reliefs sauvages, des étendues marines, des ruines ou des crépuscules d'où émane une grande spiritualité.

Dalí, Salvador
(1904 - 1989, Figueres, Espagne)

C'est un des artistes les plus extravagants de l'art du XXe siècle. À partir de 1929, il devint l'un des représentants les plus enthousiastes du mouvement surréaliste. À cette même époque, il rencontra Gala, l'inspiratrice de son œuvre. Dalí évoque dans ses tableaux ses visions et ses rêves ; sa peinture peut être réaliste, symbolique ou subversive.

Caillebotte, Gustave
(Paris, 1848 - Gennevilliers, 1894 France)

Ingénieur et peintre, Caillebotte fut ami et mécène des impressionnistes. Actuellement, sa collection particulière est réunie au musée d'Orsay à Paris. Sa peinture représente des thèmes originaux avec des perspectives et des compositions inhabituelles pour son époque.

Toulouse-Lautrec, Henri de
(Albi, 1864 - Gironde, 1901 France)

Après deux accidents qui l'empêchèrent de grandir à 14 ans, Toulouse-Lautrec se consacra à la peinture. En 1881, il se déplaça à Paris où il peignit des personnages de son entourage et surtout, des scènes de music-hall. Il est aussi considéré comme un des pères de l'affiche.

Observez et analysez

LE PASSÉ SIMPLE

A **Observez les verbes signalés en rouge. Ils sont conjugués au passé simple, un temps fréquent à l'écrit (en littérature et dans les récits historiques, en particulier) mais inemployé à l'oral.**

B **Quel est l'infinitif de ces verbes ?**

C **Quel temps pourrait remplacer le passé simple ? Quelles seraient les formes correspondantes dans chaque cas ?**

B

D

C

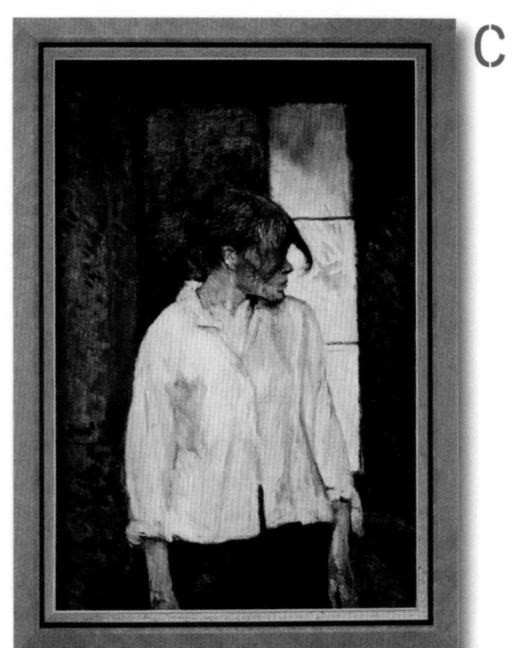

4 Choisissez un de ces tableaux. D'après vous...

1) La scène se passe à quelle époque ? À quel endroit ?

2) Qui est le personnage principal ? Imaginez son identité, sa personnalité, son caractère, sa profession...

4) Depuis quand se trouve-t-il à cet endroit ? Pourquoi ? Que fait-il ? Que regarde-t-il ?

5) Que traduit son attitude ? (surprise ? rêverie ? concentration ? curiosité ? admiration ?)

6) Quelles sont ses réflexions ? ses sentiments ? son état d'esprit ?

5 Présentez les résultats de vos hypothèses à vos camarades. Sont-ils tous d'accord ? Justifiez vos opinions et discutez-en.

6 Jeu d'observation. Pouvez-vous retrouver à quels tableaux appartiennent ces fragments ?

1) 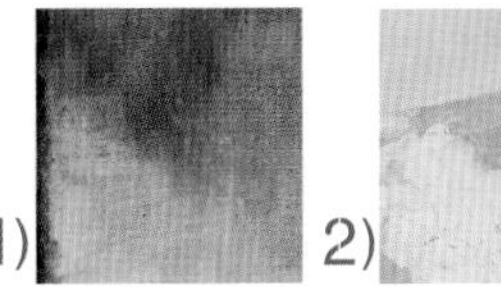 2) 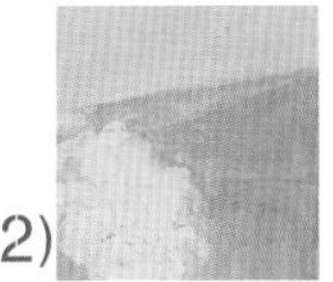 3) 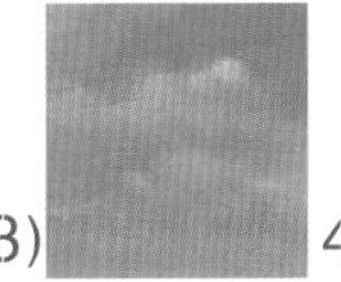 4) 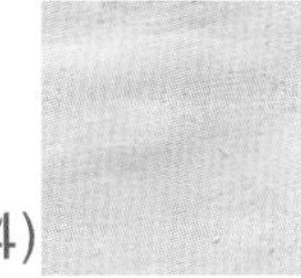

7 À vos plumes ! Imaginez le monologue intérieur d'un de ces personnages. Pensez à adapter sa façon de parler à sa personnalité.

8 Présentez un poster ou une affiche que vous aimez bien à vos camarades !

Pour vous aider

TROUVER DES RESSEMBLANCES

- Tous les deux...
- L'un et l'autre sont...
- Ils / Elles ont les mêmes...
- C'est pareil / identique / semblable.

DÉCRIRE SUBJECTIVEMENT

- On dirait que... Cela fait penser à...
- Cela me suggère... Cela me fait penser à...
- Peut-être que...
- C'est probablement... C'est sans doute....
- Il est possible / probable que...

PROJET Photo-collage : Mon paysage

- Cherchez un paysage qui ait, pour vous, une valeur symbolique (photo, dessin, tableau, affiche...).
- Faites-vous prendre en photo : de dos, en choisissant bien votre attitude, vos vêtements, votre coiffure...
- Faites un collage avec le paysage et votre photo.
- Écrivez quelques lignes sur...
  - ce que ce paysage représente pour vous.
  - les sensations, les émotions qu'il vous procure.
  - la manière dont il symbolise votre passé, votre présent ou votre avenir.
- Présentez ce collage et vos réflexions à vos camarades.
- Exposez vos travaux sur les murs de votre classe ou affichez-les sur le blog.

Pour moi, ce paysage représente une liberté spirituelle extrême et, quand je regarde la photo, je sens le vent qui souffle et qui siffle dans la montagne. Maintenant, je me vois remonter les pentes. Ce paysage est très symbolique. Pour moi, il représente l'accomplissement d'un rêve.
Joan

Devant moi, le paysage.
Mon paysage, c'est la plage au coucher du soleil. C'est l'hiver et il y a de très beaux nuages. J'aime beaucoup les nuages et c'est pour cette raison que j'aime ce paysage. Il représente aussi la liberté parce que la mer me donne cette sensation. Quand j'ai pris cette photo, j'étais avec mes amis en vacances et on a passé un séjour très agréable. Avec un coucher du soleil sur la mer, on peut penser à beaucoup de choses poétiques. Sur la plage, il n'y a personne, je suis seule avec le soleil, le sable, les nuages et la mer...
Marga

TEST DE COMPRÉHENSION ORALE !!!

Le pari

Cahier d'exercices, page 76

ÊTES-VOUS CAPABLE DE...?

RACONTER UNE HISTOIRE

 oui non (Voir Livre, p. 62, 63)

1 **Racontez l'histoire de Mimi la fourmi et de Lucette la cigale.**

Score / 10

DÉCRIRE SUBJECTIVEMENT UN TABLEAU OU UNE PHOTO

 oui non (Voir Livre, p. 64, 65)

2 **Choisissez une de ces photos.**
À quoi vous fait-elle penser ? Qu'est-ce qu'elle vous suggère ?

Score / 5

TROUVER ET COMMENTER DES RESSEMBLANCES

 oui non (Voir Livre, p. 65)

3 **Comparez Mimi la fourmi et Lucette la cigale.**

Score / 5

RECONNAÎTRE DES REGISTRES DE LANGUE

 oui  non (Voir Livre, p. 62, 63)

4 **Écoutez ces phrases et indiquez par un signe s'il s'agit du registre...**

standard, familier ou soutenu.

Score / 5

COMMENTER ET INTERPRÉTER DES DONNÉES

 oui   non (Voir Livre, p. 60, 61)

5 **Avec qui vivent les jeunes ? Voici quelques données qui se réfèrent à la structure familiale au Canada. Commentez-les en utilisant *certains, quelques-uns, la plupart, la grande majorité de..., plusieurs...***

Deux parents	74 %
Mère seulement	12 %
Père seulement	2 %
Mère et beau-père	8 %
Père et belle-mère	2 %
Autres	2 %

Pensez-vous que cela se passe comme ça dans votre pays ?

Score / 5

Score total / 30

ÉCOUTER

Durée : 30 minutes

Écoutez. Que savez-vous sur l'activité professionnelle des personnes interviewées ? Testez votre compréhension dans le Cahier d'exercices (pages 78, 79 exercices 1 et 2).

LIRE

Durée : 30 minutes

Lisez ces petites annonces et choisissez l'offre d'emploi qui vous conviendrait le mieux. Testez votre compréhension dans le Cahier d'exercices (page 79, exercices 3 et 4).

Je cherche un/e baby-sitter pour garder mon fils de 3 ans, pour les mois de juillet/août. Logé(e) nourri(e). Maison située au cœur de la Tarentaise en pleine montagne. Références souhaitées.
La Plagne Montalbert
DEGUY Philippe

Recherche surveillant(e) baignade pour centre vacances 7-16 ans, séjour de 15 jours (plus quinzaine suivante possible) autour piscine du centre. Sera aussi assistant(e) sanitaire. Cadre agréable près Argelès-Gazost. Ambiance conviviale.
3 rue St-Germain
Sautjeau – 04 03 98 23 50

Recherche animateur ou animatrice de Club de plage, en Bretagne, pour les mois de juillet et août. Contacter Élodie : 06 12 32 89 66
Élodie Henry

Maison d'édition lyonnaise cherche des étudiants disposés à travailler pour la promotion de la nouvelle collection : espace vente, discussion sur les plages, dans les campings, festivals... Salaire intéressant.
Antoine de Brosses

RESTAURANT EN CORSE CHERCHE COMMIS DE CUISINE ET SERVEUR(SE)S SÉRIEUX/SES ET TRAVAILLEURS/EUSES POUR L'ÉTÉ. LOGÉS ET NOURRIS. TÉL 04 95 35 62 95
TOLAINI

ÉCRIRE

Durée : 45 minutes - 90-100 mots environ

Vous êtes très intéressé(e) par une petite annonce qui offre un emploi pour l'été. Vous répondez en vous présentant de façon à vous mettre en valeur, en parlant de votre expérience et de votre motivation. N'oubliez pas de préciser les points suivants : nom, prénom, date et lieu de naissance, adresse et numéro de téléphone, études, connaissances en langues, expérience en relation avec l'emploi désiré, goûts et préférences, autres informations intéressantes...

PARLER

1.PRENDRE PART À UNE CONVERSATION

Durée : 3-5 minutes

En tandem. Votre famille a décidé d'aller vivre dans un petit village. Vous y voyez quelques inconvénients... Vous en parlez à un(e) ami(e) qui vous donne son avis et vous montre les avantages de cette situation.

2.S'EXPRIMER EN CONTINU / ENTRETIEN DIRIGÉ

Durée : 2-3 minutes

Individuellement. Imaginez une histoire dans laquelle interviendront six de ces éléments. (Utilisez : *d'abord..., ensuite..., finalement...*).

TRANSCRIPTIONS

On trouvera ici la transcription des enregistrements dont le texte ne figure pas dans les leçons, excepté celle des tableaux grammaticaux et de phonétique et celle des tests, qui se trouvent dans le Livre du professeur.

MODULE 0

Retrouvailles. Page 4. Activité 4.
Mini-conversation 1

-Aïe Aïe !... Ouïeeeeeee !!! Ça fait mal, hein !
-Oh... Tu exagères...
-Mais si, regarde, c'est tout rouge, ça commence à gonfler. Aïe Aïe !!!
-Mais ce n'est rien...
-C'est peut-être un scorpion qui m'a piqué !!!
-T'inquiète pas ! Les petites bêtes ne mangent pas les grosses...

Mini-conversation 2

-Dis, comment dit-on « de merveilleuses vacances » en anglais ?
-« *Wonderful holidays* ».
-Et « J'ai passé » ?
-« *I spent* ».
-Dis, ça s'écrit comment, ça ?
-*s – p – e – n – t*
-Tu peux répéter ?
-Écoute... tu ne peux pas me laisser tranquille cinq minutes... Les dictionnaires, ça existe hein !!!

Mini-conversation 3

-Oh là là... je suis crevé..., je n'en peux plus !
-Moi non plus, je n'en peux plus !
-Je crois que je vais abandonner... je reste ici...
-Écoute,... pourquoi on s'installe pas là-bas ? Regarde, y a une espèce de grotte...
-Génial ! Enfin une vraie aventure...

MODULE 1

Galerie de personnages célèbres. Page 6. Activité 1.

-Bonjour les enfants !
-Bonjour madame...
-Chut. Un peu de silence, les enfants. Chut. Venez, installez-vous, ici... Asseyez-vous par terre... en rond... En rond, j'ai dit, c'est ça un rond ? Richard, assieds-toi, s'il te plaît... Bon... enfin...
-Madame..., qu'est-ce qu'on fait ???
-Eh bien... aujourd'hui, nous allons écouter un compositeur génial.
-Mc Solaar ?
-Non. C'est un musicien du XVIIIe siècle !
-Oh ! Il est vieux !!!
-Moi, je sais... c'est Jacques Brel ?
-Non, ce n'est pas lui. Notre musicien est un des plus grands compositeurs de tous les temps, c'est un compositeur de musique classique.
-Il passe à la télé ?
-Moi je sais, c'est Lilaldi...
-Non, ce n'est pas Vivaldi. Aujourd'hui, il s'agit de Wolfgang Amadeus Mozart...
-Mozart... moi, je connais...
-Très bien...Wolfgang Amadeus Mozart... c'est un musicien du XVIIIe siècle. Il est né à Salzbourg, en Autriche, en 1756. Il est donc autrichien et il est mort en 1791, assez jeune, quand il avait 35 ans... à Vienne. Mozart, c'est un enfant prodige...
-Qu'est-ce que ça veut dire « prodige » ?
-Eh bien, que Mozart est un petit génie ! À l'âge de 6 ans, il compose déjà de la musique !!! et... il fait de nombreux voyages avec sa famille pour donner des concerts, partout en Europe ! C'est un compositeur, très original... C'est quelqu'un aussi... d'un peu extravagant... un peu fou... dit-on... Bon, on va l'écouter tout de suite... Alors, voyons... on va écouter un extrait d'un opéra-ballet : *La Flûte enchantée*. Alors fermez bien vos yeux... et ouvrez bien vos oreilles... Vous verrez plein d'images merveilleuses. Et après, vous me direz toutes ces choses que vous avez vues...

Page 7. Activité 4.

1) Elle est d'origine polonaise, elle est mariée à un grand scientifique. Qui est-ce ?
2) Des milliers de personnes ont cherché le coupable dans ses romans. Qui est-ce ?
3) Il est né au XIIIe siècle. Il a écrit un livre sur ses expériences. Qui est-ce ?
4) Elle a eu une vie très romantique qui a intéressé beaucoup de cinéastes. Qui est-ce ?
5) Le lait que nous buvons se conserve grâce à sa découverte. Qui est-ce ?
6) La guerre a marqué son œuvre. Qui est-ce ?

Page 7. Activité 5.

1) Je connais mieux la Chine que l'Italie, à présent.
2) Ce n'est pas parce qu'un problème n'a pas été résolu qu'il est impossible à résoudre.
3) Ces vastes paysages, ces terres rouges, c'est si beau, l'Afrique.
4) J'ai besoin de peindre les ténèbres...
5) Les rayons X peuvent faciliter les opérations chirurgicales. Il faut créer des équipes radiologiques dans les hôpitaux.
6) J'ai éloigné de la solution les germes qui flottent dans l'air, j'ai éloigné d'elle la vie... car la vie, c'est le germe et le germe, c'est la vie...

MODULE 1

À l'aéroport. Page 11. Activité 4.

-Bonjour madame. Je voudrais signaler la perte de ma valise !
-Ne vous inquiétez pas, madame, généralement on retrouve les bagages perdus dans les 48 heures !
-Oui, mais moi, j'en ai besoin, maintenant ! Il y a mon agenda, à l'intérieur ! Je ne peux rien faire, sans mon agenda !!!
-Calmez-vous, madame, nous allons faire notre possible. D'abord, regardez bien ce dessin. Pouvez-vous reconnaître la forme de votre valise ?
-Elle est peut-être comme celle-ci... mais je ne suis pas sûre.
-Bon, je vais vous aider... On va essayer de remplir ce formulaire. Voyons... Combien mesure votre valise ?
-Ffffff... Je ne sais pas, moi... Elle est plutôt grande... un mètre à peu près...
-Valise d'un mètre... plus ou moins... Mmm... Bon, combien pèse-t-elle ?
-Heu... 14 kilos environ... Attendez, attendez, je ne sais plus. Elle est lourde ! Peut-être 20 kilos...
-15 kilos plus ou moins. Mmmm... Bon, elle est de quelle couleur ?
-D'un bleu... vous savez... une espèce de bleu turquoise... un peu gris avec des...
-Valise bleue... plus ou moins... Elle est en cuir, votre valise ?
-Non, c'est une valise métallique avec des...
-C'est une valise rectangulaire ?
-Heu, oui... plus ou moins rectangulaire... mais un peu ovale, elle a aussi des roues parce que...
-Pouvez-vous décrire ce qu'il y a à l'intérieur ?
-Laissez-moi réfléchir... À part mon agenda et mes bijoux, il y a une veste en cuir marron foncé, un bonnet en fourrure synthétique bleue, une paire de bottes beiges, un pyjama avec des petits cœurs, des pantoufles,... un petit fer à repasser... Je ne sais pas moi, quelques souvenirs de mon voyage... une sorte de statue porte-bonheur... euh... une espèce de coussin pour porter des trucs sur la tête...
-Euh... Bon, écoutez madame, si on ne retrouve pas votre valise dans les 21 jours, vous serez remboursée.
-Mais je ne veux pas être remboursée, je veux ma valise !!!

MODULE 2

À la gare. Page 16. Activité 1.

1) -Je voudrais un aller simple Paris-Bordighera, vers 20 h s'il vous plaît. Si c'est possible, une place à côté de la fenêtre...
-Où est-ce que vous voulez aller ? Vous pouvez épelez, s'il vous plaît ?
-Bordighera. B – O – R – D – I – G – H – E – R – A.
-Voilà monsieur, ça fait 120 €.
2) -Monsieur, je n'ai pas eu le temps de composter mon billet ! Est-ce que je peux monter directement dans le train ?
-Faites voir votre billet, s'il vous plaît. Mais... il n'est pas pour aujourd'hui. Nous sommes le 17 et ce billet est pour le 18, il est pour demain !
3) -Oh, zut ! ce distributeur ne marche pas ! J'ai perdu un euro et je n'ai pas ma canette... allons au bar, j'ai très soif.
4) -Pardon, monsieur, j'ai raté mon train et je n'ai pas d'argent pour mon billet de retour. Vous n'auriez pas une pièce d'un euro à me donner ?
5) -Mais, je suis pressée, moi ! On ne peut pas se mettre comme ça, là au milieu, vous empêchez les gens de passer !
-Pardon, madame, excusez-nous...
6) -Je ne sais pas si je pourrai supporter une semaine sans toi !
-Allons, ne pleure pas, je ne supporte pas de te voir pleurer !
7) -Appelle-nous dès que tu arriveras et...
-Ne fais pas de bêtises !
-Ça va, maman, ne t'en fais pas...
8) -Tu m'aides un peu à porter mon sac, s'il te plaît.
-Je t'avais dit de ne pas trop le charger. Maintenant, tu te débrouilles toute seule !
-Merci ! C'est vraiment sympa !!!
9) « Le train en provenance de Lyon va bientôt entrer en gare, quai numéro 3, quai numéro 3. Messieurs et mesdames les voyageurs sont priés de se diriger vers le quai numéro trois, quai numéro 3.»

Page 17. Activité 6.

[...] Pardon, monsieur.
Ça vous dérange,
La fumée ?
Mais oui, bien sûr.
C'est défendu.
C'est interdit.
C'est pas permis
D'fumer ici ! [...]

MODULE 3

Soirée interculturelle. Page 28. Activité 2.

-Salut, Francesco !
-Salut ! Tu sais déjà ce que tu feras pour la soirée de samedi ?
-Bien sûr !!! Moi, c'est pas difficile, vu que je suis italien, il faut que je prépare une pizza ou des spaghettis ! C'est comme vous, vous n'avez pas le choix, il faut que vous dansiez le flamenco !!!
-Ça ne va pas, non ?! Ce n'est pas parce qu'on est espagnoles qu'on sait danser le flamenco ! C'est une danse très difficile !
-Non, non, il faut qu'on trouve autre chose ! une omelette aux pommes de terre ou un truc comme ça, tu crois pas ?!
-Mais non, c'est plus rigolo de danser le flamenco et surtout de le faire danser aux autres ! Moi, je suis allé dans le sud de l'Espagne et j'ai appris super vite !
-Ah bon ! tu pourrais nous faire une démonstration, monsieur le surdoué ?
-Bien sûr, c'est hyper facile, regardez ! Il faut que vous leviez les bras... comme ça... et que vous tapiez des pieds très fort... comme ça... et surtout que vous preniez un air tragique... Vous voyez... comme ça !
-N'importe quoi !

Bienvenue à l'auberge de jeunesse. Page 30. Activité 1.

-Bonsoir, soyez les bienvenues !
-Merci !
-Nous avons deux réservations pour ce soir !
-D'accord... Vos cartes d'identité, s'il vous plaît... Merlot Aurélia... et Perrin Claire... Mmmm... ah, c'est vous les retardataires !? Je suis content que vous soyez enfin arrivées parce que je ne pouvais pas garder plus longtemps votre réservation !
-Oui, on a eu des petits problèmes !
-Et on est ex-té-nu-ées !!!
-Oh ! je ne crois pas que ce soit si grave !
-Si, si ! On n'en peut plus ! On est mortes de fatigue !
-Bon, alors... Voilà la clé de votre chambre ! Il vaut mieux que vous l'ayez toujours sur vous parce que les portes se referment automatiquement.
-Merci ! bonne nuit !
-Bonne nuit ! Au fait... si vous sortez ce soir, il est préférable que vous soyez ici avant une heure du matin, sinon ce sera fermé !
-Ça m'étonnerait qu'on sorte. On est tellement fatiguées !
-On ne sait jamais !!! Je vous rappelle aussi qu'il est interdit de faire du bruit dans les couloirs ou dans les chambres après 23 heures.
-Alors là, je ne pense pas qu'on fasse du bruit !!!
-Oh non ! on sera déjà en train de dormir à cette heure-là !
-Bon, bonne nuit !
-Bonne nuit, faites de beaux rêves !
-On va prendre quelque chose à la cafèt' ?
-Ouais, c'est une bonne idée.
-Bonsoir !
-Bonsoir !
-Ouhh, ouh... T'as encore envie de dormir, toi ?! Je propose qu'on aille vite prendre une douche et après, qu'on fasse un petit tour à la cafèt' ! Qu'est-ce que tu en dis ?
-Hum, hum, ex-té-nu-ées, hein ? Je vous rappelle que les portes ferment à 1 heure !

MODULE 4

Je zappe, tu zappes, on zappe ! Page 38. Activité 2.

« C'est 20 kilos que vous perdrez en un mois avec... !!! »
-Quelle bêtise, je ne comprends pas qu'on puisse dire ça à la télé !
-Ouais ! C'est vraiment débile, ce truc...
« Fumer tue ! Fumer crée une forte dépendance. »
-Par contre, là... cette campagne anti-tabac, c'est impressionnant.
-Fff... Ça ne sert à rien, ce genre de trucs... c'est toujours le même discours !
-Ah non, pas ça ! Change, s'il te plaît ! Je ne supporte pas toute cette violence !
-Moi au contraire, ça m'intéresse, ce film !
-Théo, ça suffit ! Fais-moi le plaisir de mettre La 2 !
-Attends, attends, attends une minute !
-Théo, passe-moi la télécommande, s'il te plaît !
« Bilan noir du week-end : 10 morts et 14 blessés sur l'autoroute du Soleil... »
-Je ne crois pas que mon film soit plus violent que ton journal. Au contraire !
-Tu as raison, éteins ! Il n'y a vraiment rien à la télé !
-Si ! ce soir, il y a *Ça se discute*.
-Ah bon ? Enfin quelque chose qui nous intéresse à tous les deux !

Loft History ou Loft Hystérie ? Page 39. Activité 5.

-Stéphanie... tu m'as piqué mon jean !?
-Ton jean ? Mais pas du tout. C'est le mien !
-Mais si... je te dis que c'est mon jean !
-Mais enfin... Vanessa... Pourquoi ce serait le tien ?

MODULE 4

-Parce que le mien, il a la poche de derrière décousue... tiens... tu vois pas, là... ?
-Et pourquoi tu laisses toujours traîner tes affaires ? T'es vraiment pénible... hein... Il était sur ma chaise, ce pantalon, pas sur la tienne...
-Écoute... je fais ce que je veux avec mes affaires, O.K. ?
-Oh... tu m'énerves !
-« Allons... allons, du calme... les filles... Réunion dans cinq minutes. »
-Oh là là... Encore une réunion ! Ça m'étonnerait que ça serve à quelque chose, ça encore !
-Mais si... il faut bien qu'on trouve une solution aux problèmes de Vanessa et de Stéphanie.
-Mais quels problèmes ? les leurs ? les miens ? les nôtres ? Ça sert à rien de discuter comme ça... Ras le bol... moi... hein... de leurs problèmes !
-Je vous rappelle que...

Quel temps fait-il ? Page 40. Activité 3.

Un ciel couvert et très nuageux a régné toute la matinée sur l'ensemble de la côte Atlantique. Un petit bain était tout indiqué pour supporter la chaleur.
Dans le Sud-Ouest, des orages ont éclaté en fin de matinée sur le massif des Pyrénées.
Dans le Midi, la côte d'Azur et la Corse, la journée a été ensoleillée et chaude. Heureusement, il n'y a pas eu de mistral et tout le monde a pu rentrer chez soi avec son parasol !
Dans les zones montagneuses, près des Alpes, quelques orages ont éclaté, provoqués par la forte chaleur.
Dans le Nord, à l'Est et dans la région parisienne, le temps a été variable avec des averses. Par contre, au centre, la pluie n'a pas cessé de tomber sur tout le Massif Central.

Page 40. Activité 5.

Je t'ai connue un 14 juillet
Ton sourire était ensoleillé.
Le coup de foudre, je n'y croyais pas
Mais voilà, je suis tombé amoureux de toi !
Tu es changeante comme le temps.
Dans ton cœur, il fait bon ou il fait du vent
Mélancolique comme un jour pluvieux
Et gaie comme un soleil radieux.
Il y a de l'orage dans l'air,
Tes yeux verts lancent des éclairs.
Dans ta voix, il y a le tonnerre qui gronde.
Mon Dieu, mon Dieu
Tu fais peur à tout le monde !
Partout où tu passes, c'est l'hécatombe !!!
Mon cœur est comme une antenne météo.
Je sens très bien quand chez toi
Il ne fait pas beau.

Face à face. Page 43. Activité 4.

-Bonjour Samira, bonjour Océane.
-Bonjour !
-Avant tout, félicitation pour les excellents résultats de la saison ! À quelques jours des finales de l'Euroligue de basket, on parle déjà de votre équipe comme de l'équipe favorite ! On m'a dit aussi qu'on compare votre jeu à celui des Red Lakers !!! Bravo !!! Vos nombreux supporters sont là et ils voudraient tout savoir sur vous qui êtes les vedettes de l'équipe... Vous vous entendez bien ? Qu'est-ce que vous pensez l'une de l'autre ? Vous êtes prêtes à répondre ?
-Oui, oui, on est prêtes !
-Oui. Alors, on y va !
-Quelle est la plus grande qualité de votre coéquipière ?
-Elle en a plusieurs, mais sur le terrain elle est très généreuse et en plus, elle a des passes incroyables...
-Oh là là, tu vas trop loin ! Moi aussi, il y a quelque chose que j'admire énormément chez Samira. C'est sa volonté et puis, sans doute, sa capacité à marquer des paniers !
-Et son principal défaut en tant que joueuse ?
-Euh... Bon, sa taille peut-être. Pour le basket, c'est quand même important... elle n'est pas très grande, mais c'est certainement à cause de son âge...
-Elle est mauvaise perdante sur le terrain... mais bon,... elle s'excuse toujours après.
-Quelle est la plus grande qualité de votre coéquipière dans la vie de tous les jours ?
-Sa bonne humeur, son sourire permanent. Je ne l'ai jamais vue fâchée, moi...
-C'est quelqu'un d'ouvert avec qui on peut parler de tout.
-Et son plus gros défaut ?
-Bon, heu parfois... elle parle beaucoup, beaucoup... trop ! On l'appelle « la pipelette ! ».
-Son plus gros défaut ? Je ne sais pas, moi... des fois, elle manque de confiance en elle.
-Lui connaissez-vous des manies, des phobies, des superstitions ?
-Je ne sais pas si on peut appeler ça des manies... Mais avant un match, elle aime bien être seule, elle fait son échauffement toute seule... et puis toujours les mêmes exercices... toujours dans le même ordre...
-Oui, c'est vrai, je suis un peu superstitieuse... et elle, quand elle est nerveuse, elle se ronge les ongles et... aussi, heu... elle porte toujours une photo de son chat sur elle...

MODULE 4

-Oui !!! Il me porte bonheur !
-Et pour terminer, un petit message pour vos supporters…
-On veut vous dire merci de toujours nous soutenir et de partager avec nous tous les résultats, les bons comme les moins bons.
-On a besoin de vous plus que jamais !
-Merci beaucoup Samira, Océane. Merci de votre franchise et bon courage pour la finale ! Merci, merci bien.

MODULE 5

Ma ville, ça me regarde ! Page 50. Activité 1.

-Tu aimes ta ville ?… Elle te plaît ?
-Ouh là !!! Quelle question ! Euh… Oui, j'aime bien…
-Tu l'aimes bien, pourquoi ?
-Parce qu'il y a une rue piétonne avec plein de magasins, il y a deux fleuves… C'est joli, y a le centre commercial où on va se balader, en fait c'est une ville comme les autres... mais… je l'aime bien, quoi… Tout me plaît… Il y a aussi des petites rues avec plein de magasins… Mais en dehors du centre-ville, il n'y a pas assez d'ambiance, il n'y a pas grand chose, je trouve.
-Et à part ça, ça va ? Tout te plaît ?
-Euh… oui… Bon, ce qui ne me plaît pas trop, c'est… le climat…, il est trop variable… mais ça, on ne peut pas le changer.
-Qu'est-ce que tu aimerais améliorer ou changer ?
-Euh… je ne sais pas trop… Une bonne idée ce serait… tous les transports gratuits. Comme ça, les gens ne prendraient pas autant la voiture. On pourrait aller partout tranquillement en vélo sans avoir peur des voitures. Euh… bon, maintenant il y a 2 000 vélos à la disposition des gens. C'est cool, ça !
-Qu'est-ce que tu ferais d'autre ?
-J'installarais des ordinateurs… beaucoup d'ordinateurs dans les bars, dans les parcs, dans la rue. Comme ça, il n'y aurait pas de livres à transporter, mais gratuits, hein… Je mettrais aussi de la musique partout dans la rue… comme pour la fête de la musique, mais tous les jours et… j'aiderais les SDF… voilà…
-C'est tout ?
-Bon euh… euh… Je construirais… j'aimerais qu'il y ait plus de centres pour les jeunes, partout, pas que dans les quartiers chauds… Il manque des centres pour les jeunes… Là, il pourrait y avoir des animations, de la musique, des ateliers de travaux manuels… mais bien sûr pas payants, juste pour payer le matériel, pas pour se remplir les poches.
-Ah bon ? On communiquera cela à monsieur le Maire…
-Euh… Encore une autre bonne idée… Engager des jeunes pour faire des travaux dans la ville, … occuper les jeunes, faire des décorations sur les murs, décorer la ville, chacun son truc, quoi…
-Tiens, là je ne sais pas si tout le monde serait d'accord.

Test : Que feriez-vous dans cette situation ? Page 52. Activité 1.

-Eh ! L'autre jour sur Internet j'ai trouvé un test de personnalité qui est super ! Écoutez ça ! Un cabinet qui recrutait du personnel a demandé à deux cents candidats de trouver une solution à ce problème : un soir, assez tard, en plein milieu d'une terrible tempête, vous rentrez chez vous au volant de votre voiture. Vous passez devant un arrêt de bus et vous y voyez trois personnes qui vous font signe de vous arrêter.

a) Une vieille dame malade qui doit se rendre à l'hôpital.
b) Un médecin, bon ami à vous, qui vous a sauvé la vie il y a quelques années.
c) L'être le plus charmant qu'on puisse imaginer, la personne de vos rêves.

Mais… le problème, c'est que votre voiture de sport n'a que deux places, donc vous pouvez seulement prendre un passager.
-Que feriez-vous si vous étiez le conducteur ou la conductrice ?
-C'est un test de personnalité pour obtenir un travail… Réfléchissez bien !
Alors, qu'est-ce que vous en dites ? Que feriez-vous si vous étiez le conducteur ou la conductrice ? N'oubliez pas ! On ne peut prendre qu'une personne !
-Ben moi… Si j'étais le conducteur, je prendrais la dame âgée, je l'emmènerais à l'hôpital et je téléphonerais pour qu'on vienne secourir les deux autres.
-Ah moi, si j'étais le propriétaire d'une Ferrari deux places, je laisserais le médecin avec la dame et je prendrais avec moi la fille de mes rêves, et après je téléphonerais à une ambulance…
-Moi, si j'étais la conductrice, je demanderais au médecin de prendre la dame âgée sur ses genoux.
-Nooon ! On n'a pas le droit !!!
-Désolée… c'est nul ça… nul... nul…

MODULE 5

Et si on jouait au portrait chinois ? Page 53. Activité 3.

-Si c'était une couleur…
-Ce serait le bleu !
-Si c'était une ville…
-Ce serait New York.
-Si c'était un moyen de transport…
-Ce serait une moto, sûr !!!
-Si c'était un objet…
-Un micro !
-Si c'était un plat…
-Ce serait des pâtes.
-Si c'était un animal…
-Ce serait un aigle royal.
-Si c'était un adjectif…
-Ce serait… noctambule !
-Si c'était un vêtement…
-Un blouson en cuir !
-Si c'était un sport…
-Le tennis.
-Si c'était un bruit…
-Sans aucun doute, ce serait un rire !!!
-C'est Nicolas !!!!

Métiers passion. Page 54. Activité 1.

Stéphanie, fleuriste

Ce matin, je me suis levée à 3 h 30 pour faire mes achats de fleurs en gros. De retour au magasin, j'ai tout préparé avant l'ouverture à 9 heures. Pendant la journée, j'ai eu beaucoup de choses à faire : composer des bouquets, servir, conseiller les clients, la comptabilité… Je suis restée à la boutique jusqu'à 20 h. Je travaille beaucoup, les horaires sont chargés, mais j'aime mon travail. Ce qui est intéressant dans ce métier c'est qu'on est à la fois commerçant et artiste. Je dois travailler le samedi et certains jours fériés mais, malgré ces horaires, je ne regrette pas d'avoir choisi cette profession. Je vois des fleurs, des compositions. Les clients sont en général sympas, agréables. Autour de moi, tout est beau...

Thomas, artisan jardinier

Depuis toujours, je rêvais de devenir artisan et de vivre en plein air. Ma mère voulait que je sois ingénieur comme mon père, mais je n'étais pas très motivé par les études. Pendant que mes copains jouaient au foot, moi, je faisais des petits boulots dans les jardins du quartier : tondre une pelouse ici, désherber là. À 18 ans, je me suis inscrit à une formation de création d'entreprise et après, tout s'est passé très vite. Il y a10 ans que j'ai créé ma propre boîte d'entretien de jardins et j'ai actuellement cinq employés et deux apprentis.
J'adore mon travail mais je ne me vois pas artisan jusqu'à soixante ans. Dès que j'aurai trouvé l'emplacement idéal, j'installerai un gîte en montagne, avec des chambres d'hôtes. Ma femme est d'accord avec ce projet parce qu'elle aussi aime vivre au contact de la nature. Dans la vie, il y a toujours un rêve à réaliser…

Sylvain, sage-femme

J'ai su que je voulais exercer un métier médical depuis l'âge de 8 ans. J'ai donc passé un Bac S et j'ai commencé mes études de médecine. Après la deuxième année, j'ai eu de grosses difficultés et j'ai pensé laisser tomber la faculté. Euh… j'ai changé de filière et, j'ai eu l'idée de m'inscrire à l'école des sages-femmes. On m'a dit que ce n'était pas évident pour un garçon mais j'ai tenu bon. J'ai obtenu mon diplôme il y a 3 ans et depuis, je travaille à l'hôpital. Mon travail consiste à accompagner les femmes enceintes depuis le début de la grossesse jusqu'à l'accouchement. Une fois l'enfant né, j'effectue l'examen pédiatrique, puis la surveillance de la maman et du bébé pendant les deux heures qui suivent. Je fais un peu aussi le coach, le psychologue. J'adore ça. La naissance d'un bébé, c'est toujours un moment très fort et même magique.

Page 55. Activité 4.

Depuis que je suis petite, j'adore parler et communiquer avec les autres. Un jour, pour Noël, on m'a offert un petit magnétophone avec un micro. Pendant toutes les vacances, j'ai poursuivi tous les membres de la famille pour les interviewer et les enregistrer.
Depuis ce Noël-là, on ne m'a offert que des livres !!!
J'ai passé mon Bac en 1999 et comme j'adorais les examens oraux, l'histoire, l'actualité et la politique, je me suis inscrite à la fac de journalisme, à Toulouse. Pendant que j'étais à la fac, j'ai fait toutes sortes de jobs pour financer mes études et en 4e année, je suis partie faire un Erasmus en Belgique, à Louvain. Ensuite, j'ai fait un DESS en euro-journalisme à Strasbourg et à Bruxelles. Quand j'ai fini mes études, il y a trois ans, j'ai fait plein de stages dans des agences de presse et des petits remplacements… j'ai aussi travaillé en *free-lance* pour plusieurs revues et… enfin, j'ai décroché le poste de ma vie à l'ONU !!! Il y a deux semaines que je l'occupe !